Creciendo juntos

temas 'de hoy.

Carlos González

Creciendo juntos

De la infancia a la adolescencia
con cariño y respeto

temas'de hoy. VIVIR MEJOR

Primera edición: octubre de 2013
Séptima impresión: diciembre de 2016

El papel utilizado para la impresión de este libro
es cien por cien libre de cloro
y está calificado como **papel ecológico**

Colección: VIVIR MEJOR
© Carlos González, 2013
© Ediciones Planeta Madrid, S. A., 2013
Copyright de esta edición:
© Editorial Planeta, S. A.
Ediciones Temas de Hoy, sello editorial de Editorial Planeta, S. A.
Avda. Diagonal, 662-664, 08034 Barcelona
www.temasdehoy.es
www.planetadelibros.com
ISBN: 978-84-9998-337-0
Depósito legal: M. 25.017-2013
Preimpresión: J. A. Diseño Editorial, S. L.
Impresión: Artes Gráficas Huertas, S. A.

Printed in Spain-Impreso en España

ÍNDICE

Que voulez-vous? L'enfant me tient en sa puissance;
Je finis par ne plus aimer que l'innocence;
Tous les hommes sont cuivre et plomb, l'enfance est or.
VICTOR HUGO
L'Art d'être grand-père (1877)

«¿Qué quiere usted? El niño me tiene en su poder;
acabo por amar tan solo la inocencia;
los hombres son cobre y plomo; oro la infancia.»
VICTOR HUGO
El arte de ser abuelo (1877)

AGRADECIMIENTOS

Doy las gracias a Julio Basulto, Rosa Jové, Cristina Silvente y Mónica Tesone por sus acertados comentarios al manuscrito. Y a mi editora, Raquel Gisbert, por su infinita paciencia y su implacable insistencia.

INTRODUCCIÓN

Cada vez que nace un niño, nacen también un padre y una madre. Y a partir de ahí crecemos juntos en sabiduría y en virtud (y los niños también en tamaño). Los hijos nos ofrecen su amor incondicional, incluso aunque no hayamos hecho nada por merecerlo. Nos hacen sentir importantes y necesarios, nos divierten y nos intrigan, dan propósito y color a nuestras vidas, nos permiten acompañarlos por un tiempo en la fascinante aventura de descubrir el mundo. Ser padre es un privilegio.

En anteriores libros he hablado de algunos temas que preocupan sobre todo a los padres de los niños más pequeños: la lactancia y la alimentación, el llanto y el sueño, los extendidos prejuicios y las absurdas normas que a veces nos impiden disfrutar de nuestros hijos, tomarlos en brazos, consolarlos cuando lloran, dormir con ellos o comérnoslos a besos.

En esta ocasión quisiera hacer algunas reflexiones sobre cuestiones que afectan a niños algo más mayores, hasta llegar a la adolescencia. Reflexiones sobre las particulares condiciones de los padres de hoy en día; sobre el ejercicio de la autoridad paterna, sus limitaciones y sus efectos; sobre el epidémico aumento en años recientes de los diagnósticos de hiperactividad...

He dedicado un espacio considerable a explicar algunos de los estudios científicos sobre varios de estos temas. A algunas personas les parecerá pesado y aburrido, pero espero que a otros les interese conocer no solo la conclusión, sino el largo trabajo que ha llevado a esa conclusión. Vivimos en un mundo de sobreinformación, donde cualquiera puede decir cualquier cosa sobre cualquier tema y conseguir una enorme audiencia. Creo que es útil aprender a leer las cosas con sentido crítico, a pedir pruebas de las afirmaciones, a distinguir entre el que habla con fundamento y el que se lo inventa sobre la marcha. Así, al próximo que le diga «si lo llevas en brazos no caminará nunca» o «si le das el pecho a demanda será delincuente juvenil» o alguna de esas tonterías, podrá pedirle los estudios científicos que respaldan tales temores.

Hace mucho tiempo me dijo una madre que su hijo, a la sazón de cuatro años de edad, se había despertado (y había llorado) varias veces cada noche hasta los tres. «Lo peor —decía— era pensar que no se acabaría nunca. Ahora que duerme perfectamente, pienso que ojalá alguien me hubiera dicho "esto se va a acabar; dos años más y se acabará"».

Pues bien, se lo digo. Esto se acabará. Dejará de llorar por las noches, aprenderá a ir al lavabo, aprenderá a comer solo y a masticar. Dejará de pedir brazos todo el rato, dejará de preguntar infinitos porqués. Pasará la infancia, y pasará la adolescencia. Los problemas de hoy serán anécdotas mañana y, con un poco de suerte y mucho cariño, los problemas de mañana también se convertirán en meras anécdotas.

Los niños crecen, y nosotros crecemos con ellos. La infancia es fugaz. Que nuestra obsesión por corregirla no nos impida disfrutarla.

Padres de hoy

¿Cómo son los padres de hoy? No lo sé. Solo he conocido a algunos miles de madres (y a algunos cientos de padres), a la mayoría muy superficialmente, a través de algunas breves entrevistas o de alguna carta. En general, de un origen y una clase social muy similares, y también con unas ideas generales sobre la crianza de los hijos muy parecidas (los padres que se acercan a mí son, sobre todo, aquellos a quienes han gustado mis libros). Y a pesar de eso son distintos. Completamente distintos en muchos aspectos, perturbadoramente similares en otros; y de estos otros rasgos comunes, no siempre es fácil saber cuáles son propios de los padres de hoy (de los padres españoles de clase media y media-baja de hoy) y cuáles son comunes a los padres de todo tiempo y lugar.

Y sin embargo, ¡cómo nos gusta clasificar y etiquetar a la gente como si perteneciera a un grupo, como si fueran todos iguales! Las madres de ahora y las madres de antaño; los varones y las mujeres, los alemanes y los esquimales, los adolescentes y las embarazadas... A veces, nuestros prejuicios son tan fuertes que tenemos previstas incluso las «excepciones que confirman la regla». Como los ancianos «tienen que ser» aburridos, pasivos, rutinarios y cascarrabias, el que lleva una vida activa es porque «tiene un espíritu joven». Quienes creen que los varones «tenemos que ser» brutos, maleducados, sucios y carentes de sentimientos no dudan en atribuirnos «un lado femenino» antes que renunciar a sus prejuicios.

De modo que no puedo hablar de «los padres de hoy». Solo de algunos, solo de modo muy general. Tal vez se sienta usted identificado con alguna de las cosas que digo, y le alivie (o le divierta) saber que a otros padres también les ocurre algo parecido. Tal vez descubra algo sobre sí mismo en lo que no se había fijado, o a lo que no había puesto nombre. Y tal vez lo que yo digo no tenga nada que ver con usted, y espero entonces que no crea mis palabras, que no caiga en la trampa de pensar que un desconocido, a kilómetros de distancia, sabe más sobre usted que usted mismo. Yo no le voy a decir cómo es usted, solo cómo parece (cómo me parece a mí) que son algunos padres que he conocido (superficialmente).

Las dudas

Las madres de ahora parecen tener muchísimas dudas, pero mi visión es muy sesgada, pues solo conozco a aquellas madres que acuden a mí para consultarme sus dudas. Tal vez haya miles, millones de madres sin dudas que crían tranquilamente a sus hijos con absoluta seguridad. Bien o mal, pero con seguridad. Porque son cosas distintas. El hacerlo bien o mal nada tiene que ver con las dudas. Puedes hacerlo muy bien y tener dudas, puedes hacerlo muy mal y tener dudas, y en la mayoría de los casos haces unas cosas bien y otras mal (y no estás muy segura de cuáles están bien y cuáles mal), y por supuesto tienes todavía más dudas.

En la mayoría de los casos, por si le sirve de consuelo, nadie puede saber si lo está haciendo bien o mal. No, no estoy defendiendo el relativismo moral; hay cosas que claramente están bien o están mal. Contarle un cuento, consolarlo cuando llora, escucharlo cuando habla, son cosas claramente buenas. Pegarle, insultarlo, ridiculizarlo, son cosas claramente malas. Pero ¿es malo un caramelo, es bueno un plátano, es mejor la ropa sintética o la de algodón, el pollo a la plancha o rebozado? ¿Hasta qué punto ayudarlo con los deberes o participar en sus juegos, dónde está el límite entre «no hacerle caso» y «entrometerse demasiado»? Pues no lo sé, ni creo que lo sepa nadie, pero me temo que este párrafo, que tal vez tranquilizaría a otras personas, no hará más que aumentar las dudas de algunas madres.

Desconozco si las de antaño tenían más o menos dudas que las de ahora. Imagino que tendrían menos, y me baso para ello en dos consideraciones:

Primero, tenían más experiencia en el cuidado de los niños. Las familias solían tener más hijos. La mayor había visto a su madre cuidar a varios hermanitos (y había ayudado en su crianza). La pequeña había visto a sus hermanas cuidar a varios sobrinitos (y también había tenido que ayudar). La familia no era tan limitada como ahora («familia nuclear», la llaman, la formada únicamente por los padres y los hijos); podían convivir varias generaciones y varias ramas, varias madres con varios hijos.

Segundo, había menos diversidad cultural. No, no me refiero solamente a la inmigración, que también. Es que las costumbres dentro de un mismo país eran muy similares, y en una población pequeña eran casi idénticas. En cualquier aspecto de la vida. Todos los vecinos compartían una misma religión, una misma visión del mundo, una misma vestimenta, cocina y música. Sin Internet, sin televisión y con pocos libros, la mayor parte de la gente ignoraba no ya las costumbres de otros continentes, sino las de la comarca vecina.

Tal vez pertenezco a una de las últimas generaciones de niños criados con algunas de esas certidumbres. Cuando casi todas las madres hacían lo mismo con casi todos los niños. Misa los domingos, rezar las oraciones antes de acostarse, no poner los codos en la mesa, decir buenos días y buenas tardes, a la cama a las nueve... El niño que iba de visita a casa de un amigo se encontraba probablemente con las mismas normas; el niño que hacía algo «malo» podía ser reñido por cualquier adulto disponible.

Pero ahora la diversidad es infinita. Los padres no siempre hacen lo mismo que hicieron los abuelos; también pueden hacer todo lo contrario. Pueden hacer lo que han leído en un libro, o lo que han visto por la tele, o simplemente lo que se les ocurre. Conocí, por ejemplo, a unos padres que intentaban educar a sus hijos con ideas sacadas del libro *El clan del oso cavernario*. ¡Una novela de ficción!

Nuestros hijos reconocen pronto esa diversidad entre familias, normas y estilos de crianza, e intentan obtener «lo mejor de cada casa». Y así surge el argumento definitivo en todas las discusiones: «Pues a Fulanita sí que la dejan».

Sospecho que las madres de antes tenían menos dudas, porque tenían experiencia en cuidar niños y porque todo el mundo hacía lo mismo. Y sospecho que, cuando tenían dudas, consultaban preferentemente con sus propias madres y suegras, con sus parientes y vecinas. Con otras madres con experiencia.

Pero ahora las madres tienen muchas, muchísimas dudas, y parece que se fían poco de otras madres. Tal vez porque ven a sus propias madres como irremediablemente obsoletas. Tal vez porque, al haber tantos estilos y métodos de crianza distintos, los consejos de alguien que usa otro método ya no te sirven. El caso es que ahora buscan respuesta en libros, en revistas, en expertos (pediatras, enfermeras, psicólogos, educadores...). Y al menos eso sí que son datos objetivos y demostrables: nunca antes había habido tantas revistas sobre niños en los quioscos, tantos libros de puericultura en las librerías, tantos psicólogos infantiles en escuelas y consultorios, tantos «controles del niño sano» en el pediatra. Si las madres de antes tenían dudas, o las consultaban en su entorno o se quedaban con las ganas.

La culpa

Aquí sí que no tengo la más mínima pista. ¿Siempre se han sentido culpables las madres, o son solo las de ahora?

El caso es que las madres de ahora se sienten enormemente culpables. Por lo que hacen, por lo que no hacen, por lo que hacen pensando que está bien pero en el fondo saben que está mal, por lo que hacen aunque creen que está mal pero en el fondo saben que está bien.

Tal vez las dudas contribuyen a la culpa. Cuando todo el mundo criaba a los hijos igual, era más fácil pensar que estabas haciendo lo correcto. Ahora, con tantas opciones, es tan fácil equivocarse... De hecho, se podría demostrar matemáticamente que equivocarse es lo normal. Si hay dos opciones, y solo una es correcta, la posibilidad de acertar es una entre dos. Si hay doce opciones, la posibilidad de acertar es solo una entre doce. Por lo tanto, las madres casi siempre se equivocan. Y tienen la culpa de todo.

Hay dos fallos importantes en esta «demostración». Tal vez los mismos dos fallos que inconscientemente cometen las madres. Primero, es un error pensar que solo existe una forma correcta de criar a los hijos, y todas las demás son malas. En realidad, hay miles de formas igualmente correctas de criar a los hijos; y otros miles que, sin ser tal vez perfectas, son lo suficientemente buenas; y otros miles que vaya usted a saber si son buenas o no, porque no tenemos datos suficientes y hacemos lo que podemos. A lo mejor habríamos de hacer el razonamiento inverso: si hay doce formas de criar a los hijos, y solo una es mala, solo hay una posibilidad entre doce de equivocarse. Segundo, es un error pensar que las madres van a elegir al azar entre todas las opciones; las madres tienen una tendencia natural a elegir las opciones mejores. La mayoría de las madres lo hacen bien, y lo han hecho bien durante milenios; si no, no estaríamos aquí.

Insisto, no estoy predicando el relativismo moral. Hay muchas formas de criar bien a un niño, pero también se puede hacer mal. Casi todas las madres lo hacen bien, pero algunas lo hacen fatal (hay niños maltratados y abandonados). A veces es difícil saber si estamos haciendo bien o mal (¿Le compro el helado que me pide, o le explico que no es una comida sana? ¿Nos quedamos media hora más en los columpios, o vamos a casa porque empieza a refrescar? No, no son tonterías, es el tipo de cosas por las que se sienten culpables muchas madres); pero también hay otras cosas que están claramente bien, o claramente mal.

El trato frecuente con madres le da a uno una especie de sexto sentido para evitar las trampas de la culpa. Intento no decir nunca «hay que hacer esto» o «no haga lo otro»; mis libros están llenos de «a veces...», «en ocasiones...», «conviene...», «puede ser útil...». Pero algunas madres parece que busquen la culpa como quien busca un tesoro, y consiguen encontrarla en cualquier sitio. Si digo que los niños suelen despertarse por la noche, ya hay alguna preocupada porque el suyo no se despierta lo suficiente. Intento consolar a las madres cuyos hijos lloran mucho con el argumento de que «su hijo la quiere mucho, por eso llora desesperado en cuanto usted se va un minuto», y las que tienen la suerte de que sus hijos no lloran empiezan a pensar que sus hijos no las quieren... ¡No, por favor, su hijo la quiere igual, lo que pasa es que lo expresa de otra manera!

Pero a algunos lo que les gusta, precisamente, es hacer que las madres se sientan culpables. ¡Eso permite tenerlas tan apocadas y sometidas! Y, sobre todo, ¡es tan fácil! Hay culpas clásicas, «si le coges en brazos no caminará nunca», «tienes que obligarlo a comer fruta, porque previene el cáncer de colon», «llora porque le pasas tus nervios con la leche», y también culpas «modernas» y «alternativas»: «si la niña tiene asma, es porque tú tienes un conflicto no resuelto con tu propia madre, porque tu madre "te ahogaba"». «Si tienes grietas en el pezón, es porque en realidad no quieres dar el pecho».

Probablemente la teoría culpabilizante más absurda y cruel que he oído (en labios de profesionales de la salud y la psicología) es la de que las cesáreas, o el uso de fórceps, o los partos largos y difíciles, se deben a que la madre, tal vez inconscientemente, no quería tener ese hijo, y por eso «se ha cerrado». Claro, y si en los países nórdicos tienen la tercera parte de cesáreas que en España no es porque los médicos lo hagan de otra manera, sino porque allí las madres no «se cierran» tanto...

Imagínese la situación: agotada tras horas de parto, asustada por lo que hubiera podido pasar, decepcionada por la cesárea, sintiéndose ya culpable por el «fracaso» (¿será que no me preparé lo suficiente, que no hice bien las respiraciones, que no aguanté bien el dolor, que no elegí el hospital adecuado?), con las hormonas revueltas y esa especie de tristeza que algunas madres sienten después del parto, alguien te dice que en el fondo no deseabas a tu hijo. Si haces examen de conciencia, ¿qué madre no encuentra algo? Tal vez querías quedarte embarazada después de las oposiciones, y te has adelantado. Tal vez en el día más caluroso del verano pensaste «qué rollo, con este calor y con esta barriga, toda sudada, ojalá lo hubiera tenido en invierno». Tal vez se te ha pasado por la cabeza que aquel viaje que tanta ilusión te hacía ya no lo podrás hacer en años. Tal vez hubieras preferido tener el segundo un poco más tarde, al menos que el primero ya durmiera de un tirón. Los días tienen muchas horas para pensar muchas cosas, y la maternidad despierta muchos sentimientos contradictorios, pero eso no significa que no queramos a nuestros hijos. Total, que el 90 % de las madres agachan la cabeza y rompen a llorar, convencidas de que, en efecto, la cesárea fue por su culpa, porque rechazaban a su hijo. Si alguna responde dubitativa «pues que yo recuerde, no lo he rechazado nunca», le dirán: «¿Ves? Es un rechazo inconsciente». Y para quien tenga los santos ovarios de dar un golpe en la mesa y gritar «¡Mentira, yo a mi hijo no lo he rechazado jamás!», también hay una respuesta definitiva: «¿Lo ves? ¡Estás haciendo una negación!». No se puede discutir con esa clase de gente.

En el otro extremo, algunas madres (y padres) usan la culpa como arma defensiva y argumento definitivo en cualquier discusión. Si dices, por ejemplo, que no hay que pegar a los niños, enseguida salta alguien «¿Qué pasa, acaso soy mala madre porque una vez le pegué una bofetada?». Y la acusación es tan terrible, ser «mala madre» es algo tan monstruoso, que ya no es posible la discusión racional, y solo queda la rendición incondicional: «No, claro que no eres mala madre por pegarle una bofetada». ¿Y por pegarle dos?

¿Y por pegarle cada día? ¿Y si además lo insulto? ¿Y si le hago sangre? ¿Dónde está el límite, si es que hay un límite? Pues no lo sé, ni me importa. «Perdona, no estoy hablando de si tú eres buena o mala madre. No soy quién para juzgar. De lo que estoy hablando es de si es bueno pegar a los niños. Y pegar a los niños no es bueno. Aunque a veces sea una buena madre la que lo haga».

La soledad

Los padres de ahora están, en general, más solos que los de antaño. Solos en el espacio, separados de otras personas que los puedan ayudar en la crianza de sus hijos, y solos en el tiempo, separados de las generaciones de padres que los precedieron.

El siglo xx ha visto la generalización de la llamada *familia nuclear* (y lo mismo que el núcleo atómico se rompe en una bomba nuclear, también este núcleo familiar se rompe por el creciente número de divorcios, con terribles consecuencias para los hijos). Hace apenas una o dos generaciones era todavía frecuente la convivencia con otras personas, abuelos o tíos.

Los abuelos, y especialmente las abuelas, siempre han colaborado en la crianza de sus nietos. Pero era una colaboración «en paralelo», en la que se compartían el trabajo, la responsabilidad y la mesa familiar. Siempre había algún adulto en la casa, de modo que la madre podía entrar y salir sin problemas y sin culpas, y el niño que encontraba a su madre momentáneamente ausente u ocupada podía recurrir fácilmente a otra persona. Había más gente disponible para contar un cuento, para coger en brazos, para responder a un «¿por qué...?». Hoy en día las abuelas participan muchísimo en el cuidado de los niños, tal vez en España más incluso que antes (debido a la ridícula brevedad de nuestros permisos de maternidad); pero se trata de una colaboración «en serie»; el niño pasa de la casa de los padres a la casa de los abuelos (o bien la abuela viene unas horas a la casa de los padres). La madre no ve lo que hace la abuela o lo que le ocurre a su hijo durante la mañana, la abuela no ve lo que hace la madre ni lo que sucede durante la tarde, el «relevo de la guardia» muchas veces apenas da tiempo para intercambiar algunas informaciones apresuradas («apenas ha comido, ha hecho caca dos veces, ha tenido unas décimas...»). Tanto la madre como la abuela están solas con el niño durante horas, sin posibilidad de apoyo ni respiro. Salir a la calle para cualquier cosa, ir al médico o a la peluquería, requiere a menudo una cuidadosa planificación previa, varias llamadas hasta encontrar a alguien que pueda quedarse con el bebé el jueves de diez a doce. Con niños pequeños, incluso ducharse o ir al lavabo pueden ser actividades complicadas. El niño que encuentra a su cuidador temporalmente ocupado, cansado o malhumorado (y sí, los adultos estamos a veces de mal humor) no puede recurrir a nadie más.

Pero no solo está la madre (y la abuela) aislada dentro de casa; también fuera. Antiguamente no había una diferencia tan grande entre estar «en casa» o «fuera de casa». Se hacía vida en los patios de vecindad y corralas, en las plazas y en las calles; las puertas estaban abiertas, la gente entraba y salía, las madres lavaban juntas la ropa en un lavadero comunal, o se sentaban juntas a coser o a pelar guisantes, mientras los niños iban y venían y los vecinos pasaban y saludaban. Todavía llegué a ver, a finales de los años sesenta, a vecinos del ensanche de Barcelona (manzanas cuadriculadas formadas por edificios de cinco a ocho plantas, la mayoría construidos en la primera mitad del siglo XX) que sacaban sillas a la acera y mantenían allí la tertulia, a la vista de todos. Hoy ya nadie hace esas cosas, al menos en las ciudades o en los pueblos grandes. Lo más parecido a charlar en una silla en la calle es la terraza de un café, pero eso no se hace delante de tu casa, no forma parte de la vida diaria. O estás en casa, o estás en otro sitio, la frontera está clara.

Cuando se hacía vida en la calle y los niños podían jugar sin temor a los coches, la responsabilidad (y el trabajo) de cuidar a los hijos se compartía (hasta cierto punto) con otras madres del vecindario. Lo explica muy bien un antiguo refrán: «Al hijo de tu vecina, límpiale la nariz y mételo en tu cocina» (es decir, cuídalo y dale de comer).

La socialización de los niños (algo que siempre ha existido, aunque no tuviese nombre) se llevaba a cabo en el seno de la familia extensa y en el vecindario. Los niños se socializaban dentro de la sociedad. Se relacionaban con varios adultos (no solo con sus padres y profesores), y con niños de distintas edades (no solo sus hermanos o sus compañeros de clase). Participaban en la vida cotidiana de los adultos, observaban sus actividades y escuchaban sus conversaciones (en las que tal vez no les permitían participar, pero de las que pronto entendían más de lo que sus padres pensaban). Tan solo a finales del siglo XX nos han intentado convencer de que la mejor manera de socializar a un niño es separarlo de la sociedad y de la familia y ponerlo en una sala con otros diez niños que no hablan y con un adulto solitario (habitualmente una adulta) que solo dice cosas para niños.

La ausencia de otros familiares y la menor relación con los vecinos hace que muchas madres pasen largas horas solas en casa con un bebé. Como señala Gro Nylander en su libro *Maternidad y lactancia*, eso no es bueno para su bienestar psicológico. No es bueno que una persona adulta tenga que pasar horas y horas sin otros adultos con los que hablar, con la única compañía de un bebé.

Algunas madres están deseando que finalicen las raquíticas dieciséis semanas de la licencia maternal: quieren volver al trabajo porque «se les cae la casa encima». A la soledad y a la falta del estímulo intelectual que trae el contacto con otros adultos se unen una serie de prejuicios y consejos que impiden a la madre disfrutar de su hijo. Siempre te prohíben las cosas divertidas: «No lo cojas en brazos, que se malcría», «No le hagas caso cuando llora, que te toma el pelo»... Nadie te dice «No friegues los suelos, que se malacostumbra», «No le laves la ropa, o se la tendrás que lavar toda la vida».

Es conveniente que la madre tenga otras actividades y otras relaciones, además de cuidar a un bebé. El problema es que hoy en día mucha gente lo plantea como cosas incompatibles: «tienes que dejar al bebé con otra persona para tener tiempo para ti». Nuestras bisabuelas no iban al gimnasio, a la piscina ni al cine; podían relacionarse con sus familiares y vecinas sin necesidad de dejar al bebé con nadie. Actualmente, los grupos de lactancia (vea una lista en www.fedalma.com) y otras asociaciones de madres ofrecen la posibilidad de realizar actividades con otros adultos sin necesidad de separarse de los niños.

Dice un refrán africano que «para criar a un niño hace falta toda una aldea». A diferencia de otros mamíferos, que alcanzan la edad adulta en semanas o meses, nuestros hijos necesitan cuidados, atención, educación y protección durante más de quince años. Más de treinta, hoy en día. Es difícil que una madre sola pueda proporcionar todos esos cuidados, siempre ha hecho falta la colaboración de toda la tribu.

Lo que ha cambiado mucho en décadas recientes es la estructura de esa tribu. Antes estaba formada por familiares y vecinos. Solo los niños mayores iban a la escuela; yo mismo no empecé hasta los cinco años (e incluso el ir a la escuela es bastante reciente, cuestión de pocos siglos). Hoy en día, muchos niños se escolarizan en España antes del año, y otros son cuidados en su casa por personas pagadas, por canguros y niñeras que no son miembros de la familia.

En dos puntos importantes se diferencian estos nuevos cuidadores de los antiguos: primero, ya no están al lado de la madre, apoyándola, sino que substituyen a la madre ausente. Segundo, permanecen junto al niño durante muy poco tiempo.

Antiguamente, es cierto, los niños ricos eran cuidados muchas veces por una niñera o por una nodriza. Esas personas solían permanecer largo tiempo en la familia, los niños establecían con ellas un firme vínculo afectivo, una relación de apego. En la literatura del siglo XIX es frecuente la figura de la «antigua nodriza» o la «vieja criada», a la que el adulto protagonista visita, respeta y pide consejo.

Hoy en día, en cambio, los cuidadores externos a la familia, las maestras de guardería o las canguros ocasionales, no establecen, no pueden establecer una relación de apego con el bebé. A veces pasan más horas al día con el bebé que la propia madre (si descontamos el tiempo que pasa dormido), y casi siempre tienen más contacto que las abuelas. Pero la intensidad del vínculo no es, no puede ser la misma. La maestra de la guardería tiene que protegerse contra el peligro de establecer una intensa relación afectiva con los bebés a su cuidado, porque de lo contrario cada final de curso sería para ella como para una madre perder a sus hijos. El niño mantendrá una fuerte relación de apego con sus abuelos, y un vínculo afectivo más débil con tíos y otros familiares; permanecerá en contacto (más o menos frecuente) con esas personas durante toda la vida. Pero la maestra, tras uno o dos años de intensísimo contacto, desaparece de su vida por completo; no llamará a los cinco años para preguntar cómo le va, no acudirá a los cumpleaños, no vendrá por Navidad.

¿Y el bebé? ¿Consigue él también protegerse, no estableciendo una relación de apego con su cuidadora? ¿O establece un fuerte vínculo, y a final de curso sufre la pérdida de un ser querido? No lo sé.

En otro aspecto, decía, están solos los padres de hoy, y es en su falta de contacto con los padres de otras generaciones.

En casi cualquier ocupación humana, los novatos están en continuo contacto con otras personas con más experiencia. Tanto si entras a trabajar en un despacho de abogados como en una peluquería, alguien que lleva allí cinco o diez años te enseña lo que tienes que hacer, bajo la lejana supervisión de otros que acumulan veinte o treinta años de experiencia. Pero los padres suelen tener poco contacto con quienes fueron padres diez o quince años antes que ellos. Tienen contactos sociales o laborales, por supuesto, pero no suelen hablar con ellos sobre la crianza de los hijos.

De esos temas, los padres suelen hablar con otros padres de la misma quinta. Los que conocieron en los cursillos de preparación al parto, los que encuentran cada día en el parque o en la puerta de la guardería o de la escuela, los que animan al mismo equipo deportivo infantil... Padres de tu misma generación, y tus propios padres, que lo fueron hace veinticinco o treinta (o más) años y que tal vez te parecen (erróneamente) increíblemente antiguos y poco fiables. En medio, un gran vacío.

Faltos de contacto con los que fueron padres hace solo una década, y desconfiando de los que lo fueron hace más de dos, los padres tienden a creer que lo que ven hacer a ese puñado de amigos y conocidos es «lo que hacen todos», o incluso «lo que siempre se ha hecho». No son conscientes de que los padres hacían cosas muy distintas hace unos años, o de que en otros países (incluso en otros barrios de la misma ciudad) otros padres hacen cosas muy diferentes. Algunos ejemplos:

La escolarización temprana. Hay quien cree que los niños necesitan ir a la guardería porque solo así «se socializarán», «adquirirán hábitos» o «se soltarán a hablar». He conocido a madres que, estando en paro, hacen un gran esfuerzo económico para pagar una guardería porque creen que su hijo lo necesita, y a otras que, temiendo que el no haberlos llevado pueda afectar al desarrollo o a la inteligencia de sus hijos, buscan información sobre «actividades» y «fichas», quieren dar «clases» en el hogar a niños de uno o dos años. No saben que hasta hace unos cuarenta o cincuenta años casi ningún niño iba a la guardería; yo mismo, como dije antes, empecé el cole a los cinco. Y ya ven, aprendí a hablar, adquirí hábitos (algunos no muy buenos, pero hábitos al fin y al cabo), fui a la universidad. Hoy en día, muy pocos niños finlandeses o alemanes van a la guardería antes de los tres años.

Los purés. Cuando digo a las madres que pueden dar a sus hijos comida a trozos desde los seis meses, que no hace falta triturar los alimentos, muchas se quedan asombradas y asustadas. ¡Se va a ahogar! ¡Qué cosa más nueva, más inaudita, no dar purés! ¡Si toda la vida los bebés han comido purés! Pues no. Yo no comía purés, ni los otros niños de mi generación. Recuerdo el día en que mi madre se compró la primera batidora eléctrica, recuerdo la ilusión que le hizo desempacar los componentes, el soporte para la pared, las instrucciones de uso en tres idiomas, las cuchillas intercambiables (una para hacer purés, otra para hacer mayonesa, ¡y una especial para montar claras a punto de nieve!). Lo recuerdo porque yo tenía siete años. Antes de eso, mi madre usaba el pasapurés de manivela, que ni siquiera era de acero inoxidable. Después de cada uso había que limpiar cuidadosamente los restos enganchados en el muelle, secarlo bien y untarlo con aceite para que no se oxidase. Mi madre odiaba aquel aparato, estaba semanas sin usarlo; cuando yo era bebé seguro que no me preparaba tres purés al día (y en todo caso, no hubieran quedado completamente líquidos, como los de la batidora eléctrica, sino grumosos). Hasta los años sesenta, los bebés no comían alimentos triturados, sino cortados en trocitos o aplastados con el tenedor.

La redecilla antiahogo. Para poner la fruta dentro y que el niño la chupe sin peligro. Para que la peligrosa fruta asesina no ataque a nuestros hijos, que se lo pueden llevar todo a la boca..., todo menos la comida, faltaría más. Me enteré de su existencia hace unos tres años porque me lo contó una madre. Ya ven, pediatra durante más de veinte años, padre de tres hijos veinteañeros, y sin saber que existía la redecilla antiahogo. Es más, estoy aceptablemente seguro de que no existía. ¡Vivíamos peligrosamente! Claro, con ese nombre, «antiahogo», y cuando «todo el mundo la usa», ¿qué padre dejaría que se ahogara su hijo por ahorrarse unos euros? Creo que voy a patentar la boina antimeteoritos y los zapatos antiterremoto.

El comedor escolar. Otra cosa que se ha vuelto imprescindible, hasta el punto de que algunos creen que solo en él aprenderá el niño a comer. Pues hace cuarenta años, quedarse a comer en el cole era algo rarísimo, en mi clase solo se quedaban cinco o seis niños de casi cincuenta. Los demás íbamos a casa, comíamos con nuestros padres y volvíamos a la escuela por la tarde.

La edad

En esto, al menos, sí que tengo un dato objetivo y una diferencia real. Lo dicen las estadísticas: hoy en día las mujeres tienen su primer hijo, por término medio, a una edad más avanzada que sus madres y abuelas. Eso tiene sus ventajas y sus inconvenientes. Me temo, y créame que no me gusta decir cosas que puedan molestar a mis lectoras, que tiene más inconvenientes que ventajas.

Las causas para este retraso son muchas y variadas, y en cada caso habrá unas causas distintas.

Influye, tal vez, la esperanza de vida. Cuando nuestros antepasados raramente pasaban de los cuarenta años, no podían dejarlo todo para el último momento.

Influyen, muy probablemente, consideraciones económicas y laborales. En cierta clase social, hay que esperar a acabar la carrera (e, incluso aprobándolo todo, las carreras ya se acaban dos años más tarde que en mis tiempos, por los sucesivos alargamientos del plan de estudios de bachillerato). Hay que acabar el máster. Hay que acabar la especialidad. Hay que preparar las oposiciones. Hay que encontrar un trabajo fijo y bien pagado. Hay que comprar un piso. Y estas dos últimas cosas se han vuelto tan inasequibles; tan escasos los puestos de trabajo y tan caros los pisos que parece que no llegas nunca. Hace un siglo, eran casi exclusivamente los varones los que tenían estas preocupaciones. Muchos no se casaban hasta tener una sólida posición; una vida, si no resuelta, al menos encaminada. Hombres hechos y derechos se casaban con chicas mucho más jóvenes, pues ellas no tenían que acabar ninguna carrera. Una situación que ambos podían ver como ventajosa: él obtenía una esposa joven y sana, capaz de darle hijos; ella un marido responsable y bien situado, capaz de alimentar y proteger a su familia. Pero ahora las parejas suelen ser mucho más similares en edad, en nivel de estudios y en aspiraciones profesionales. Ahora, los dos esperan a estar establecidos en la vida. A veces, hasta el último momento.

Además de la cuestión laboral, probablemente las actitudes y prioridades también contribuyen al retraso de la maternidad. En apenas unas décadas, nuestra sociedad parece haber llegado a creer que tener hijos no es importante, o que se puede dejar para el último momento.

Hubo un tiempo en que «formar una familia» o «casarse y sentar cabeza» se consideraba el principal objetivo en la vida del individuo. Yo mismo fui a la universidad con el firme propósito de buscar esposa, y de paso estudiar medicina. Pero me temo que ya entonces estaba bastante anticuado. El matrimonio, que había sido un sacramento, empezaba a verse como unas cadenas. Los hijos, que en un tiempo eran «bendiciones», pasaron a considerarse «ataduras». El principal objetivo de la vida pasó a ser «realizarse», que nunca he sabido muy bien qué significa (al principio, en los setenta, se especificaba «realizarse como persona»). Por lo visto, uno puede realizarse siendo médico, ingeniera, cartera o peluquero, futbolista, alpinista o bailarina, pero no teniendo hijos. Si cuidas, alimentas y educas a los hijos de otros, puedes ser una «mujer realizada», pero si cuidas, alimentas y educas a tus propios hijos, no eres más que una maruja.

Decía que el aumento de la edad de las madres tiene ventajas e inconvenientes. Las madres de ahora son más maduras, tienen más experiencia de la vida, más estatus social. Son más capaces de buscar información y tomar sus propias decisiones, de mantenerse firmes ante las críticas y las presiones de familiares, vecinos y profesionales, de valorar los consejos que reciben y rechazar los que no les parecen razonables.

Pero, por otra parte, la diferencia de edad entre padres e hijos aumenta. Y el cuidado de los niños exige una buena dosis de esfuerzo físico, de llevar pesos, arrastrarse por el suelo, correr y saltar y levantarse a media noche. Más adelante, en la adolescencia, los padres también están más lejos de su propia juventud, y con los rápidos cambios en modas y costumbres, les puede resultar más difícil entender el mundo de sus hijos.

Y la diferencia de edad será aún mayor para los abuelos, claro. Si eres padre a los veinticinco, puedes esperar ser abuelo a los cincuenta; los padres de treinta y cinco tal vez no sean abuelos hasta los setenta años. No me gustaría tener que esperar tanto. Por motivos laborales, en las últimas décadas los abuelos han tenido un importantísimo papel en la crianza de los hijos; los abuelos del futuro tal vez ya no estén para esos trotes, ¿quién se ocupará entonces de los niños? Tenemos que devolver a los padres el protagonismo (lo que requeriría un permiso de maternidad o paternidad de dos años o más, en vez de esos patéticos cuatro meses que ahora tenemos; únase a la campaña http://mastiempoconloshijos. blogspot.com.es/).

La mayor edad de las madres conlleva también un problema de fertilidad. Muchas mujeres parecen retrasar el momento hasta que de pronto se dan cuenta de que el tiempo se acaba. Desde hace unos años tenemos una expresión popular para esa situación: «se me pasa el arroz». Recibo con cierta frecuencia consultas de madres que están dando el pecho a sus hijos de nueve meses o de año y medio, que disfrutan con ello y querrían seguir más tiempo, pero se plantean destetarlos porque aún no les ha venido la regla, o porque han de hacer un nuevo tratamiento de fertilidad y les han dicho (erróneamente) que el tratamiento es incompatible con la lactancia.

El número de hijos

Antes, las familias solían tener muchos hijos, tres o cuatro para empezar, y a menudo siete o más. Hoy en día, muchas familias solo tienen un hijo, algunas tienen dos, y tres es casi excepcional.

Eso hace que el número de padres inexpertos se multiplique. Antes, solo uno de cada cuatro o cinco padres era novato. Ahora, más de la mitad son novatos. Muchos serán siempre novatos.

Los niños tienen ahora menos posibilidades de jugar con sus

hermanos. Claro, a cambio tienen a los amigos, pero no es lo mismo. Con los hermanos puedes estar desde que te levantas hasta que te acuestas, pero los juegos con los amigos tienen forzosamente un horario limitado. Llegada cierta hora, muchos niños se quedan solos en casa. Eso disminuye las posibilidades de interacción social y favorece los juegos solitarios, consolas y ordenadores, frente a los juegos de grupo, como el parchís o las adivinanzas. No teniendo hermanos con los que jugar, los niños pueden reclamar más atención de sus padres. Algunos padres disfrutarán con ello enormemente, pero otros puede que no tengan tiempo ni ganas. Las tareas domésticas se acumulan tras una dura jornada de trabajo, los padres esperan que el niño se entretenga solo, alguien les dice que su hijo es un consentido o un «pequeño tirano», y pueden surgir resentimientos y conflictos.

Otro problema es que no se trata igual al primer hijo. Tiene sus ventajas y sus inconvenientes, qué duda cabe. A cambio de unos padres con menos experiencia, los tiene con más tiempo libre para dedicarle atención plena. Goza también de unos abuelos más jóvenes que sus hermanos, unos abuelos más capaces de pasear, jugar o contar historias.

Pero muchas veces el hermano mayor tiene una importante desventaja: sus padres creen todavía en un arquetipo de niño «bueno» y obediente, sacado de la tele y los libros y de la tradición popular.

A los dos años, pretendes que tu hija recoja los juguetes o duerma sola, y te sorprendes, hasta te enfadas, porque no lo hace.

Cuando nace el segundo, ya sabes por experiencia que los de dos años ni recogen ni duermen solos, y por lo tanto ni lo intentas. Al pequeño nadie le va a pedir que recoja. Pero la mayor tiene cinco, y a esa edad debería no solo recoger, sino bañarse, poner la mesa..., cuando el pequeño tiene cinco, ya sabes que es inútil reñirlo o enfadarte, y que se va a escapar de poner la mesa y de bañarse siempre que pueda..., pero sigues esperando que la mayor, que ya tiene ocho, haga los deberes y obedezca sin rechistar y se ocupe más del perro..., siempre nos pilla de novatos el pobre hermano mayor, siempre esperamos que sea maduro y responsable porque es mayor que los otros, sin recordar que sigue siendo un niño.

Intente tratar a su hijo como si fuera el segundo.

El estrés

Nuestros hijos pagan las consecuencias de nuestra falta de tiempo o de energía, de nuestras situaciones estresantes. Es algo que no tiene fácil arreglo. Pero sin duda el primer paso es darnos cuenta del problema.

A finales de los años setenta un psicólogo norteamericano, Zussman, realizó un pequeño estudio sobre el efecto que las distracciones tenían en el trato de los padres hacia sus hijos.[1] Escogió cuarenta parejas de hermanos, uno que asistía a la guardería de la universidad (tres a siete años); y su hermano pequeño (uno a seis años). Los dos permanecían en el laboratorio con uno solo de sus padres (veinte padres y veinte madres, que creían que se estaba haciendo un estudio sobre el juego de los niños), y eran observados a través de un falso espejo. Había pocos juguetes, y algunas tentaciones (un cenicero lleno, montones de papeles). Durante diez minutos, el padre o la madre no tenían nada que hacer; se les decía que se ocupasen de sus hijos de la forma habitual. Durante otros diez minutos, los padres tenían que realizar una actividad mental (formar anagramas, variando el orden de las letras en un par de palabras).

Cuando estaban así ocupados, los padres mostraron menos conductas positivas (interacción, respuestas al niño, apoyo, estímulo) hacia el hermano mayor, pero al mismo tiempo más con-

---

1. Zussman, J. U., «Situational determinants of parental behavior: Effects of competing cognitive activity». *Child Development,* 1980, 51, 792-800.
   www.jstor.org/discover/10.2307/1129466?uid=3737952&uid=2&uid=4&sid=21102072864271

ductas negativas (interferencia, críticas, castigos) hacia el pequeño. Como si pensasen: «Estoy ocupado; el mayor, que se apañe solo, y con el pequeño vamos a dejarnos de jueguecitos y al grano, a decirle lo que tiene que hacer».

Mi primer pensamiento ante este estudio fue: si una cosa tan simple y poco importante como hacer anagramas en un laboratorio de psicología ya cambia (a peor) nuestra forma de tratar a nuestros hijos, ¿qué harán las verdaderas distracciones de la vida real, hacer las camas, preparar la cena, leer un libro, ver la tele? ¿Y los problemas de verdad, el trabajo, las preocupaciones, la enfermedad propia o de un familiar?

Pero luego me fijé en otro detalle: ¿diez minutos? ¿En tan poco tiempo hacen los padres suficientes cosas como para poder comparar y hacer un estudio? ¿Les ha dado tiempo en diez minutos de apoyar, enseñar, criticar y castigar?

Pues sí. Veamos algunos ejemplos:

- Calidez o afecto positivo, definido como «mostrar afecto físico o calidez al niño, o expresar particular alegría, euforia o entusiasmo»: cuando no estaban ocupados, los padres lo hacían una media de 4,88 veces al mayor y 9,38 veces al pequeño; en los diez minutos en que estaban ocupados, las muestras de afecto bajaban a 2,92 y 7,63 respectivamente, un descenso que no era estadísticamente significativo.
- Interferir con lo que está haciendo el niño: cuando no estaban ocupados, 3,38 veces con el mayor y 5,16 veces con el pequeño. Mientras buscaban los anagramas, 3,37 y 10,94 (aumento significativo para los hermanos pequeños).
- Criticar o castigar, definido como «hacer reproches, criticar, reñir, castigar o amenazar con el castigo»: cuando no estaban ocupados, 0,71 veces al mayor y 0,14 al pequeño; mientras hacían anagramas, 0,32 y 0,76 veces en diez minutos (aumento significativo para los pequeños; para los mayores, las cifras eran demasiado pequeñas para el cálculo estadístico).

Y yo que pensaba muy orgulloso que nunca había castigado a mis hijos, porque nunca había dicho «estás castigado sin salir/sin postre/sin ver la tele»... Pero si contamos también cada «estate quieto», cada «mira lo que has hecho», cada «¡ya está bien!»...

Reconozco que la lectura de este estudio ha sido para mí una revelación. A estas alturas, con los niños ya criados, me doy cuenta de cuántas veces al día interaccionamos, para bien o para mal, con nuestros hijos.

Los padres en el estudio de Zussman reñían a sus hijos más o menos una vez cada quince o treinta minutos. La buena noticia es que les mostraban afecto casi una vez por minuto, los alababan cada dos minutos, los estimulaban a buscar información por sí mismos una vez cada dos minutos, les enseñaban algo una vez cada minuto. A lo largo de su infancia tenemos millones de oportunidades de hacer cosas buenas con nuestros hijos.

El divorcio

(No voy a entrar en disquisiciones técnico-legales. Me refiero a la separación de hecho o de derecho entre los padres, tanto si estaban oficialmente casados como si no).

No hay duda de que los padres de ahora se divorcian muchísimo más que los de tiempos pasados. Y no solo porque en España el divorcio estaba prohibido; en otros países europeos, en que el divorcio es legal desde hace un par de siglos, también se ha observado un enorme aumento a finales del siglo XX. Estamos viviendo una auténtica epidemia de divorcios. En 2011 hubo en España unos ciento sesenta y tres mil matrimonios y unos ciento diez mil divorcios. Si se mantuviera estable la proporción, podríamos afirmar que se divorcian dos tercios de las parejas.

Sé que lo que voy a decir va a molestar a algunos de mis lectores (pues en España, precisamente porque estuvo prohibido durante el franquismo, nos hemos acostumbrado a ver el divorcio como un avance, como una conquista democrática); pero ¿no le parece que son demasiados divorcios? Veo una analogía con las cesáreas: nadie duda de que son un gran avance, de que en algunos casos son imprescindibles, de que salvan vidas. Pero cuando en un país no hay un 10 % de cesáreas, sino un 30 o incluso un 70 %, decimos que son demasiadas, que se hacen cesáreas innecesarias, que además de salvar vidas también causan problemas. Tal vez deberíamos hacer algo para intentar reducir el exceso de divorcios, lo mismo que hacemos algo para intentar reducir el exceso de cesáreas.

El divorcio es devastador para los hijos. La Academia Americana de Pediatría resume así las consecuencias:[2]

- Los bebés y niños menores de tres años pueden reflejar el estrés, el duelo y la preocupación de sus cuidadores; a menudo muestran irritabilidad, aumento del llanto, miedos, ansiedad de separación, problemas de sueño y gastrointestinales, y regresión en su desarrollo.

- A los cuatro o cinco años, suelen culparse a sí mismos por la ruptura y por la infelicidad de sus padres, se vuelven más «pegajosos», muestran conductas externalizantes (rabietas), interpretan mal lo que sucede en el proceso de divorcio, temen ser abandonados, tienen más pesadillas y fantasías.

- Los niños en edad escolar pueden estar apagados o preocupados; mostrar más agresividad y rabietas, parecer incómodos con su identidad sexual y sentirse rechazados y traicionados por el padre ausente. El rendimiento escolar puede empeorar, y pueden sufrir por el conflicto de lealtades y pensar que merecen ser castigados.

---

2. Cohen, G. J.; American Academy of Pediatrics. Committee on Psychosocial Aspects of Child and Family Health. «Helping children and families deal with divorce and separation». *Pediatrics*, 2002, 110, 1019-1023.
http://pediatrics.aappublications.org/content/110/5/1019.full.pdf

- Los adolescentes pueden sentir menos autoestima y desarrollar una autonomía emocional prematura para manejar sus sentimientos negativos sobre el divorcio y la pérdida de la imagen ideal de ambos padres. Su rabia y confusión conduce frecuentemente al abuso de substancias, menor rendimiento escolar, conducta sexual inapropiada, depresión, agresividad y gamberrismo.

- A todas las edades, los niños pueden tener síntomas psicosomáticos como respuesta a la rabia, la pérdida, el duelo, el no sentirse amados y otros factores estresantes. Pueden intentar manipular a un padre contra el otro porque necesitan sentirse al control y poner a prueba las reglas y los límites. Sin embargo, tienden a sentirse culpables y responsables de la separación y a creer que deben intentar reparar el matrimonio.

Los efectos se mantienen a largo plazo. En Finlandia, Huurre y colaboradores[3] entrevistaron a casi 1500 jóvenes a los 16 y de nuevo a los 32 años. Los hijos de padres divorciados tenían la mitad de posibilidades de haber ido a la universidad, el doble de paro, fumaban y bebían mucho más... y tenían ellos mismos más del doble de divorcios. Aparentemente hay un componente hereditario en el divorcio. Tal vez por circunstancias socioeconómicas que son comunes a padres y a hijos; tal vez por el ejemplo o la falta de ejemplo, por no haber vivido en la infancia el funcionamiento diario de un matrimonio estable; tal vez porque, como señala la teoría del apego, la calidad de la primera relación (habitualmente con la madre) influye en la calidad de otras relaciones a lo largo de la vida.

---

3. Huurre, T., Junkkari, H., Aro, H.; «Long-term psychosocial effects of parental divorce: a follow-up study from adolescence to adulthood». *Eur Arch Psychiatry Clin Neurosci*, 2006, 256, 256-263.
http://link.springer.com/content/pdf/10.1007%2Fs00406-006-0641-y.pdf

No digo que sea la única ni la más importante de las causas, pero el hecho de haber tenido una relación inadecuada con los propios padres contribuye a tener más tarde relaciones inadecuadas con otras personas, incluyendo los cónyuges. El caso extremo sería el de los niños que se han visto separados de sus padres. Rusby[4] localizó a principios del siglo XXI a más de 700 británicos de entre 62 y 72 años que en su infancia habían sido separados de sus familias en la ciudad y transferidos a zonas rurales para protegerlos de los bombardeos. Aquellos que se habían separado de sus padres entre los 4 y los 6 años habían sufrido más divorcios que los que se habían separado de sus padres entre los 13 y los 15 años de edad. ¿Influirán también en la probabilidad posterior de divorcio otras separaciones menos dramáticas, más cortas pero más frecuentes? ¿Influirán las separaciones emocionales, el hecho de que tus padres estuvieran allí pero te ignorasen? No he encontrado ningún estudio que responda a estas dudas.

El divorcio es devastador para los hijos, y por tanto parece razonable hacer un esfuerzo para mantener unido el matrimonio (o la pareja de hecho). Aparentemente, lo tenemos todo a nuestro favor. Ya no hay matrimonios concertados o de conveniencia; te casas con una persona a la que has conocido, que te ha gustado, a la que has tratado durante meses o años, con la que muchas veces, hoy en día, has convivido. ¿Cómo puede fallar tanto? Creo que a menudo olvidamos regarlo.

El matrimonio requiere esfuerzo. La firme y cotidiana decisión de mantenerlo sólido. Hay que esforzarse cada día por hacer feliz a la pareja, en vez de esperar que sea la otra persona la que nos haga feliz. Hay que decirle continuamente cuánto la queremos, y demostrárselo con hechos. Hay que hacer las cosas antes de que nos las pidan. Hay que ceder en casi todo.

---

4. Rusby, J. S., «Effect of childhood age in foster care on the incidence of divorce in adulthood». *J Fam Psychol* 201, 24, 101-104.

Ojo, no digo «ceder en esto, y ella cederá en otra cosa», o «le digo que le quiero, y él me dirá que me quiere». Creo que vamos mal en el matrimonio si esperamos cobrarnos todos los favores. Se aplica aquí la famosa frase de Kennedy: «no preguntes lo que tu país puede hacer por ti, sino lo que tú puedes hacer por tu país».

Mis lectores deberían estar familiarizados con el concepto, pues es lo que siempre he recomendado en el trato con los niños: darles cariño incondicional. No los queremos porque ponen la mesa o recogen la habitación, no los cuidamos porque hacen los deberes. Los queremos porque son nuestros hijos y los cuidamos porque nos necesitan. Y por supuesto la mayoría de los niños ponen la mesa y hacen los deberes, pero tampoco ellos lo hacen para que a cambio los queramos o los cuidemos. Padres e hijos se quieren mutuamente y desinteresadamente. No esperan nada a cambio. Creo que en los mismos términos debe funcionar el matrimonio.

Y por eso me parece particularmente doloroso que sean a veces las discusiones sobre la educación de los hijos las que ponen en peligro el matrimonio. ¿Le parece que su esposa riñe demasiado a los niños, o que su marido insiste demasiado con la comida? Bueno, los padres no siempre van a estar completamente de acuerdo en todo. No puede imponerle a su pareja sus propias ideas, por mucho que usted crea tener razón. Si cree que debe tratar a sus hijos con cariño y respeto, empiece a practicar tratando a su esposa o a su marido con cariño y respeto.

Nadie se «divorcia» de un hijo. Al menos mientras es niño. Sí, hay padres que discuten amargamente con sus hijos adultos, incluso adolescentes, y a veces se dejan de hablar y pierden todo contacto. Pero no mientras son niños. A los tres años, a los ocho, a los doce, pase lo que pase, hagan lo que hagan, nadie se «divorcia» de un niño. Nadie dice «tengo derecho a rehacer mi vida con una niña que sea más estudiosa, con un niño que sea más obediente; estos niños no son como al principio, el amor ha desaparecido y es absurdo seguir manteniendo esta relación». Seguimos con nuestros hijos, y ni siquiera a regañadientes, sino con amor y con entusiasmo, pase lo que pase y hagan lo que hagan. Al menos mientras son pequeños. Pues tal vez deberíamos también intentar seguir con nuestra pareja, pase lo que pase y haga lo que haga, al menos mientras nuestros hijos son pequeños.

Pero «no divorciarse» de un hijo es, lo admito, mucho más fácil que no divorciarse de un cónyuge. Porque los adultos pueden hacer algunas cosas que un niño pequeño nunca haría, como maltratarnos o abandonarnos. Para mantener viva la relación madre-hijo (o padre-hijo) basta con la firme decisión de la madre o del padre; pero para mantener vivo un matrimonio hace falta la firme decisión de dos personas.

Si a pesar de toda nuestra buena voluntad se produce el divorcio o la separación, hay que hacer al menos todo lo posible para mitigar los daños a los niños:

- Los hijos deben saber que ellos no tienen ninguna culpa del divorcio. Papá no se fue porque me he portado mal. Papá y mamá no discutían por mi culpa, porque saqué malas notas. Para prevenir estas posibilidades, es buena idea no discutir nunca por las notas, la conducta, el sueño, la comida o cualquier otra cosa relacionada con los niños (sí, por supuesto, se puede hablar, debatir y mantener posturas contrarias, pero no hay necesidad de gritar y pelearse). Y también es buena idea no decir jamás estupideces como «si te portas mal, mamá se va», «si te portas mal, no te querré», «es que me tienes harto»... Pero incluso tomando todas las precauciones, los niños tienden a sentirse culpables de la separación de sus padres.
- No hay que usar a los hijos como arma arrojadiza para fastidiar al contrario, como rehenes en la negociación o para un intercambio de cromos.
- No hay que manipular a los hijos para ponerlos en contra del otro cónyuge. No solo por respeto al otro cónyuge, sino sobre todo por respeto a los mismos niños. A nadie le

gusta que hablen mal de su madre o de su padre. A nadie le gusta pensar que su padre o su madre es una mala persona.

- No hay que plantear a los niños un conflicto de lealtades. Ni siquiera con esos comentarios tan sutiles, «ya sé que con papá/mamá sí que te diviertes», pronunciados en tono de «tú divirtiéndote y yo aquí sufriendo por tu ausencia» y especialmente diseñados para arruinarle al niño toda la diversión. Si se le pregunta algo así como «¿El día de Navidad prefieres ir a casa de papá o de mamá?», el niño debe tener bien claro, por el tono y por el contexto, que no es una prueba, que no hay una sola respuesta correcta, y que realmente nos parecerá bien diga lo que diga. (Y tampoco está de más juntarse ambos padres para celebrar fiestas y cumpleaños. Si nos reunimos con primos a los que apenas vemos tres veces al año, también nos podemos reunir civilizadamente con nuestros ex).

- Evite ser el perro del hortelano, que ni come ni deja comer. Por ejemplo, he visto niños obligados a ir a la guardería, o a quedarse a comer en el cole, cuando su padre o su madre podían perfectamente atenderlos en esas horas. Si de todos modos no puede estar con usted, ¿por qué no con su expareja?

- No hay que entrar en una carrera de festejos y regalos, intentando comprar el afecto del niño.

- No hay que ridiculizar las normas disciplinarias del otro. Eso tampoco significa que haya que seguirlas. En distintas familias hay distintas normas, no pasa nada. Pero la diferencia puede simplemente presentarse como un hecho, «pues yo no quiero que veas esa serie porque es muy tarde y hay que ir a la cama» o «no, ya sabes que aquí solo comemos pastel los domingos». No hay necesidad de añadir «tu madre te tiene muy malcriada, dejando que te acuestes tan tarde» o «no sé en qué está pensando el irresponsable de tu padre, darte pastel todos los días».

- Es importante que los niños pequeños no se separen demasiado tiempo y demasiado pronto de su cuidador primario (que habitualmente, pero no siempre, es la madre). Muchos jueces españoles tienen la costumbre de dictaminar «fines de semana alternos y quince días en verano con el padre», y eso puede estar muy bien a los diez años, pero es un auténtico desastre a los dos años. Y tampoco es bueno para el padre, que se convierte en «el señor malo que me separa de mamá», y que tiene que pasar el rato con un niño lloroso. Diga lo que diga el juez, a todos les conviene acordar un régimen de visitas más racional.

Y para llegar a un acuerdo, ambos tienen que ceder. La madre no puede escudarse en el evidente sufrimiento del niño para negarle al padre cualquier contacto. No, lo que hay que hacer es modificar la duración y frecuencia de los contactos. Un par de horas cada día con un padre al que conoces y amas, y no cuarenta y ocho horas cada dos semanas con un desconocido del que casi no te acuerdas (o del que solo recuerdas lo mucho que lloraste con él hace dos semanas).

Brazelton y Greenspan han dedicado un capítulo de su libro *Las necesidades básicas de la infancia*[5] a esta cuestión. El niño pequeño debería ver a su padre cada día o casi cada día, si es posible en presencia de su madre. Por ejemplo, en el parque. El niño está contento porque su madre está cerca, y de ese modo puede establecer una buena relación con el padre. Más adelante, según su respuesta, podrá pasar más horas con el padre. Tal vez hacia los tres años (o tal vez más tarde) pueda empezar a pasar alguna noche separado de la madre. Con las mismas precauciones con que otros niños empezarían a pasar alguna noche en casa de los abuelos: hay que llamar a ver cómo va la cosa, y si no va bien hay que ir a «resca-

---

5. Brazelton, T. B., Greenspan, S. I.; *Las necesidades básicas de la infancia*. Editorial Graó, Barcelona, 2005.

tarlo» y dejar lo de la noche fuera para más adelante. Cuando veamos que pasa una noche con su padre sin problemas, podremos pensar en probar con dos noches seguidas. Algunos niños de seis o siete años serán capaces de pasar dos semanas separados de su madre, pero probablemente muchos preferirán que sean dos semanas no consecutivas, o tres periodos de cinco días.

La televisión

Antes no había televisión. Lo sé de buena tinta; yo tenía siete años cuando mis padres la compraron.

La televisión influye poderosamente en el desarrollo de los niños y en las relaciones entre estos y sus padres. Me temo que no todos los cambios son positivos. Me temo que la televisión está aquí para quedarse, así que más que añorar una lejana edad de oro a la que nunca volveremos, más vale que pensemos en la manera de minimizar sus problemas:

- Parece afectar al desarrollo de la visión en los bebés y niños pequeños, por lo que los expertos recomiendan que los menores de dos años no estén expuestos a televisiones, ordenadores y otras pantallas. (Ver página 161).
- No puede educar a un bebé. Los niños mayores pueden aprender algunas cosas viendo buenos documentales. Pero los bebés y niños pequeños no pueden aprender nada con un «DVD educativo». Porque necesitan la interacción con un adulto que reaccione a las acciones y emociones del niño. La tele no reacciona, sigue a lo suyo hagas lo que hagas.
- Ocupa un tiempo, a veces mucho tiempo, en la vida del niño. Y el día solo tiene veinticuatro horas. Si estás viendo la tele, no puedes jugar, correr, hablar, interaccionar con los amigos o con los padres...
- Ocupa un tiempo, a veces mucho tiempo, en la vida de los

padres. Si estás viendo la tele, no puedes estar pendiente de tu hijo, atender a sus necesidades, contestar sus preguntas, hablarle, contarle cuentos.

• Ocupa un lugar destacado, casi un altar, en el comedor. Algunas familias ya no comen en torno a una mesa, sino uno al lado de otro frente a la tele. La conversación desaparece (o se limita a comentar los programas).

• Muchas películas y series transmiten una visión distorsionada de la realidad. En la tele suele haber «buenos» y «malos», hay poco lugar para los matices, para la comprensión de las debilidades humanas, para el arreglo amistoso de las diferencias. También suele haber más conflictos que en la vida real (ciertas series sobre estudiantes de instituto casi dan miedo, desde luego, cuando yo estudiaba no pasaban esas cosas..., pero claro, una serie sería muy aburrida si los chicos se limitan a ir a clase, contar chistes, jugar al fútbol y estudiar un poco).

• La tele está llena de anuncios. Anuncios que por definición intentan que compres algo que no necesitas (si lo necesitas, ya lo comprarás sin que nadie te diga nada). Los anuncios de comida no son de zanahorias o de lentejas, sino de refrescos y chucherías. En Quebec, en Suecia y en Noruega está prohibida la publicidad destinada a niños, aquí andamos aún muy lejos.

• Y ni siquiera hemos mencionado la telebasura o la violencia...

Los padres ya pasamos muchas horas separados de nuestros hijos por el trabajo y por la escuela. Hemos de intentar que la tele no devore la mayor parte del tiempo que nos queda para estar con ellos.

Estilos parentales

¿Existen distintas formas de criar a los hijos? Probablemente millones. ¿Es posible clasificar esos millones de estilos de crianza en unos pocos grupos? Solo mediante un radical reduccionismo, empujando cosas muy distintas hasta hacerlas entrar en el molde.

La crianza con apego

Algunos padres que leen este libro piensan que están practicando algo llamado *crianza natural* o *crianza con apego*. Son intentos de traducir la expresión inglesa *attachment parenting*, ideada por el pediatra William Sears. Muchos piensan que eso más o menos significa dar el pecho, hacer colecho y coger mucho en brazos. En realidad, existen unos «principios de la crianza con apego» que no dicen exactamente eso. Los ocho principios de la crianza, según API, Attachment Parenting International, www.attachmentparenting.org/, son:

1. Prepararse para el embarazo, el parto y la crianza
2. Alimentar con amor y respeto
3. Responder con sensibilidad
4. Contacto corporal
5. Garantizar un sueño seguro, física y emocionalmente
6. Proporcionar cuidados amorosos y consistentes

7. Practicar la disciplina positiva

8. Buscar un equilibrio entre la vida personal y la vida familiar

El término está inspirado en la teoría del apego, *attachment theory*, del psiquiatra infantil John Bowlby. Pero se refieren a cosas completamente distintas. Pues la teoría del apego dice precisamente que todos los niños (salvo tal vez alguna excepción muy patológica) establecen un apego, que puede ser seguro o inseguro. La mayoría de los niños tienen un apego seguro. En una época en que estaba «prohibido» coger a los niños en brazos, en que dejarlos llorar era la norma y en que casi nadie daba el pecho, la mayoría de los niños tenían un apego seguro. Y al contrario, en sociedades en que prácticamente todos los niños duermen con sus madres, van colgados a la espalda y toman el pecho durante dos o tres años, hay niños con apego inseguro.

El apego seguro no depende del tiempo que esté el niño en brazos, sino del caso que se le hace. Es decir, de que el cuidador responda a las necesidades del bebé con rapidez y eficacia, aceptando sus sentimientos, dándole consuelo y seguridad. Es posible llevar a un niño en brazos todo el rato pero ignorarle, o incluso si es mayorcito insistir en llevarlo en brazos cuando el niño lo que quiere es gatear. Es posible coger en brazos a un niño que llora, pero no aceptarle ni responder a sus necesidades, sino negarlo o ridiculizarlo («parece mentira, una niña tan grande», «qué feo te pones cuando lloras», «no te pongas así, que no es nada»), o anteponer un supuesto sufrimiento del adulto a las necesidades del niño («no le hagas esto a mamá», «sé un niño bueno y no llores», «si lloras papá se pone malo»), o responder con hostilidad («¡ya estamos otra vez!», «¿pero ahora qué tripa se te ha roto?»). El bebé y el niño pequeño necesitan unos padres tranquilos, que saben o parecen saber qué hacer en cada circunstancia. Debe saber que puede llorar cuando tenga cualquier dificultad, porque recibirá consuelo. El niño no puede sentirse seguro con unos padres que parecen inseguros, atemorizados o irritados ante su llanto (o a veces las tres cosas alternativamente). Es posible tomar a un niño en brazos y al mismo tiempo ignorarlo o rechazarlo emocionalmente.

Son los padres los que tienen que cuidar a sus hijos, y no al revés. El niño no debe tener la sensación de que «no puedo llorar, porque mamá se pone triste, o se enfada».

Por supuesto, no se trata de lo que pasó un día..., todos los padres hemos hecho al menos una cosa bien y al menos una cosa mal. Todos los padres hemos hecho cientos de cosas bien y cientos de cosas mal. El apego no depende de lo que ocurre en una o en varias ocasiones aisladas, sino de lo que ocurre la mayor parte de las veces.

El niño que sabe que habitualmente sus padres le aceptarán y consolarán cuando llore o tenga cualquier dificultad desarrolla un **apego seguro**. En presencia de la madre tiene suficiente confianza para gatear, caminar, explorar... sin perder a su madre de vista. Puede alejarse porque sabe que siempre podrá volver. Cuando se va su madre, se asusta y llora; cuando su madre vuelve, corre hacia ella y pide brazos, pero rápidamente se vuelve a tranquilizar y sigue jugando y explorando.

El niño que se ve habitualmente rechazado aprende a evitar nuevos rechazos mediante la desesperada estrategia de dejar de pedir, y así no le podrán negar. Desarrolla un **apego evasivo** o evitante. Puede parecer falsamente seguro o independiente, porque no pide brazos ni consuelo. Parece no importarle si sus padres están o no están, juega y explora solo sin vigilar a su madre, llora poco cuando se queda solo pero no busca a su madre, incluso la evita cuando esta vuelve.

Cuando la respuesta de los padres es inconsistente, cuando unas veces le atienden amorosamente y otras veces le rechazan o le ignoran, el niño puede recurrir a pedir atención continuamente, así al menos algunas de las veces le funcionará. Desarrolla un **apego resistente** o ambivalente. Se pega a la madre, exige atención constante; cuando la madre está presente, apenas se separa de ella; cuando la madre se va, llora completamente desesperado; cuando vuelve, puede pegarse a ella y tardar muchísimo en tranquilizarse, o a ratos puede rechazarla.

El apego resistente y el evasivo son estrategias que desarrolla el niño para sacar el máximo partido de una situación que no es la óptima. Pero en los casos más graves el niño es simplemente incapaz de usar una estrategia, y se produce el **apego desorganizado**. Muchos de estos niños han sufrido abusos y maltratos, o son hijos de padres que a su vez sufrieron abusos.

El apego inseguro puede llevar a problemas psiquiátricos en la vida adulta.[1]

(Por supuesto, las descripciones anteriores se refieren a niños pequeños, que gatean y empiezan a andar. Es completamente normal que uno de cuatro meses no se separe nunca de usted, y es completamente normal que uno de cinco años no llore cuando se separa de usted).

La psicóloga canadiense Susan Goldberg ha publicado un excelente resumen sobre las causas y las consecuencias del apego seguro, ilustrado con varios vídeos que muestran los tipos de interacción entre padres e hijos. Puede leerlo (en inglés) en http://www.aboutkidshealth.ca/En/News/Series/Attachment.

Goldberg resume así la conducta que deberían mostrar los padres para fomentar un apego seguro:

- Preste atención. Aprenda a reconocer los signos de que su bebé lo está pasando mal.
- Sea responsivo. Que su hijo sepa que usted se ha dado cuenta de su malestar y responde adecuadamente.
- Sea consistente. Responder de forma consistente y predecible a las necesidades de consuelo de su hijo crea en el niño un sentimiento de seguridad.
- Muestre aceptación. Acepte el malestar o el sufrimiento emocional de su hijo, en vez de juzgarlo o negarlo.
- Proporcione consuelo. Calme y consuele a su hijo cuando se sienta mal.

---

1. Mosquera, D., González A.; «Del apego temprano al TLP». *Mente y cerebro*, 2011, 46, 18-27.
http://www.investigacionyciencia.es/files/6965.pdf

Un resumen más breve, en español, por el psicólogo chileno Felipe Lecannelier: http://www.crececontigo.gob.cl/adultos/columnas/que-es-el-apego-y-como-podemos-fomentarlo-con-nuestros-hijosas.

El apego es una teoría psicológica bien establecida, pero «la crianza con apego» no es un concepto habitualmente usado en el campo de la medicina o de la psicología. La expresión *attachment parenting* no aparece ni una sola vez en pubmed.gov, la base de datos que contiene más de veinte millones de artículos científicos. En cambio, aparecen más de quinientos artículos con la expresión *parenting style*. Cuando los científicos hablan de estilos parentales, se refieren a otra cosa. Habitualmente, a una modificación de la clasificación de Baumrind.

Los estilos parentales según Baumrind

Veamos cómo lo explica una página web popular, escrita para padres (www.bebesymas.com/ser-padres/que-tipo-de-padres-somos):

Los **padres autoritarios** tienen valores bajos en cuanto a afecto pero alto en cuanto a control. Piden mucho de sus hijos, ejerciendo un fuerte control sobre su conducta y reforzando sus demandas con miedos y castigos. Sus hijos muestran cambios de humor, agresión y problemas de conducta.

Los **padres permisivos** son aquellos que tienen valores altos en cuanto al afecto pero bajos en control. Son cariñosos y emocionalmente sensibles, pero ponen pocos límites a la conducta. Sus hijos son con frecuencia impulsivos, inmaduros y descontrolados.

Los **padres democráticos** tienen valores altos en cuanto al afecto y al control. Cuidan de sus hijos y son sensibles hacia ellos, pero colocan unos límites claros y mantienen un entorno predecible. Este estilo de actuar de los padres es el que tiene los efectos más positivos en el desarrollo social del niño. Los hijos de estos padres son los más curiosos, los que más confían en sí mismos y los que funcionan mejor en la escuela.

Finalmente, los padres que tienen valores bajos en ambas dimensiones se denominan **padres indiferentes**, estos padres ponen pocos límites a sus hijos, pero también les proporcionan poca atención o apoyo emocional. Sus hijos suelen ser exigentes y desobedientes, les cuesta mucho participar en juegos e interacciones sociales, ya que no siguen reglas.

Si queremos lo mejor para nuestros hijos, ya sabemos qué camino debemos tomar y recordar que los extremos no son buenos.

En otra web dirigida a los padres explican con más detalle lo que se supone ocurrirá a los hijos con los distintos estilos de crianza (www.elbebe.com/educacion/estilos-educativos-padres-autoritarios-permisivos-democraticos):

Los padres **autoritarios**:
suelen criar niños obedientes, pero también muy dependientes, poco alegres o espontáneos. Su sistema moral es rígido y difícilmente generan un código de conducta propio. La autoestima suele ser baja, son vulnerables a la tensión y fácilmente irritables.

Los hijos de padres **permisivos**:
En principio son niños más alegres que los criados en un ambiente autoritario, pero a la larga la falta de control genera una baja autoestima, ya que se enfrentan a tareas que sobrepasan sus capacidades. Cuando crecen se convierten en **adolescentes difíciles** que transgreden las normas sociales en busca de límites externos.

Y por último, el estilo **autorizativo** (al que llaman democrático):
genera niños con **buenos niveles de autocontrol** y autoestima, capaces de persistir en tareas, hábiles para las relaciones personales. Niños independientes, pero cariñosos, con un sistema moral propio.

Si se fija un poco, las dos explicaciones son bastante distintas. En la primera hay cuatro tipos, en la segunda solo tres. Sí, ambas están de acuerdo en que los padres autorizativos (democráticos) son los mejores, pero no están de acuerdo en los efectos. La primera dice que los hijos así criados son curiosos, seguros de sí mismos y buenos estudiantes. La segunda dice que tienen autocontrol y autoestima, y son persistentes, independientes y cariñosos. Todos son efectos positivos, pero no son los mismos efectos. Y en el caso de los padres autoritarios, tampoco es lo mismo tener hijos con agresividad y problemas de conducta que obedientes y dependientes.

Y sin embargo cada uno lo dice con todo el aplomo del mundo, como si determinada forma de criar a los hijos fuera a producir un resultado claro, definido y predecible. Como si supieran cómo van a ser tus hijos. Lo dicen con el mismo aplomo que los autores de horóscopos: «Los piscis son trabajadores, los cáncer son fieles...» (¿o era al revés?). Leyendo estas páginas divulgativas (y a veces también leyendo libros supuestamente serios), uno tendría la impresión de que todos los hijos de padres permisivos van a ser delincuentes juveniles.

Pero en la vida real las cosas no están ni mucho menos tan claras. Sí, hay verdadera ciencia detrás de esas generalizaciones; sí, determinadas conductas en los padres tienden a producir determinadas conductas en los hijos..., pero es solo una tendencia. Está plenamente probado que el tabaco produce cáncer, pero la mayor parte de la gente que fuma no tendrá cáncer jamás, y muchas personas con cáncer no han fumado nunca. Criar hijos no es como cocinar: «mezcla huevos, leche y harina, métele en el horno y saldrá un bizcocho». Hay muchas maneras de criar a un hijo, y nunca sabes exactamente lo que va a salir.

Analizaremos ahora con cierto detalle los datos científicos que hay detrás de esas explicaciones más o menos populares sobre los estilos parentales.

A finales de los años sesenta, la psicóloga norteamericana Diana Baumrind describió tres estilos de crianza, en inglés *authoritarian, authoritative* y *permissive*.[2] El primero y el tercero tienen

---

2. Baumrind, D., «Effects of authoritative parental control on child behavior». *Child Development*, 1966, 37, 887-907.

una traducción evidente, pero el de en medio se las trae. La palabra existe en inglés, y se aplica a libros, o expertos, en el sentido en que diríamos «es una autoridad en la materia». En español existe una palabra, autoritativo («que incluye o supone autoridad»), que no había oído ni leído jamás hasta que la he buscado en el diccionario, hace minuto y medio. Supongo que alguien habrá usado esa palabra para traducir el estilo parental en cuestión, pero varios artículos de expertos españoles serios (que luego citaremos) usan «autorizativo», una palabra que no viene en el diccionario y que tiene, a mi humilde modo de ver, connotaciones distintas del original inglés. Pues *authoritative* suena a padre que ejerce con autoridad (con conocimiento de causa) pero sin caer en el autoritarismo (el ordeno y mando), mientras que «autorizativo» suena a padres que «autorizan», es decir, que dejan que el niño haga cosas. Pero bueno, gente que sabe mucho más que yo ha escrito «autorizativo», y así lo mantendré.

Al menos la primera vez que los describió, en 1966, Baumrind parecía entender que los tres estilos parentales estarían en una misma línea, donde el estilo autorizativo sería el término medio y los otros los extremos.

> La permisividad [...] es la antítesis de la tesis de que la manera correcta de educar a un niño es que el padre o maestro desempeñen el papel de intérprete omnisciente de una deidad omnipotente [...]. Una síntesis [...] se propone en este artículo con el nombre de «control autorizativo».

Los ejemplos que pone Baumrind de educación permisiva y autoritaria son extremos: permisiva, la escuela Summerhill, de Alexander Neill; autoritarios, los padres de siglos pasados que imponían

---

la voluntad divina. Como ejemplo de educación autorizativa cita las escuelas Montessori.

A continuación reproduzco las descripciones originales que hizo Baumrind de los tres estilos. He tenido una duda importante a la hora de traducirlas. Mientras que en español usamos el plural *padres* para referirnos al padre y a la madre (o a varios padres y a varias madres), el inglés usa una palabra completamente distinta: *father, mother, parents*, «padre, madre, padres». Baumrind, en sus descripciones, usa *parent*, en singular, lo que habría que traducir como «el padre o la madre» o «los padres». Pero después usa sistemáticamente el artículo femenino *she* (ella); nunca *he* (él). No alterna, como algunos textos más modernos, el *she* y el *he* para ser políticamente correctos. Siempre usa el *she*, como si se refiriese únicamente a la madre. Podría haber evitado fácilmente el problema usando el plural, *parents* y *they*, ninguno de los dos tiene marcador de género, podríamos traducirlo como «padres» y «ellos», o especificar «madres y padres», «ellas y ellos». En otro artículo, cinco años más tarde, explica que, para evitar confusiones, usa *she* para los padres y *he* para los hijos. He optado por usar el plural en mi traducción.

Los padres permisivos intentan comportarse en forma no punitiva, aceptante y afirmativa hacia los impulsos, deseos y acciones del niño. Le consultan las decisiones y le dan explicaciones de las reglas de la familia. Le hacen pocas demandas en cuanto a responsabilidad doméstica y conducta ordenada. Se presentan ante el niño como un recurso que él puede usar como quiera, no como un ideal a imitar ni como un agente activo responsable de moldear o alterar su conducta actual o futura. Permiten que el niño regule sus propias actividades todo lo posible, evitan el ejercicio del control, y no lo animan a obedecer patrones definidos externamente. Para alcanzar sus objetivos intentan usar la razón y la manipulación, pero no la imposición.

Los padres autoritarios intentan moldear, controlar y evaluar la conducta y actitudes del niño de acuerdo con un patrón establecido, habitualmente un patrón absoluto, motivado teológicamente y formulado por una autoridad superior. Valoran la obediencia como una virtud y favorecen las medidas de fuerza y punitivas para doblegar la voluntad allí donde las acciones o creencias del niño entran en conflicto con lo que los padres consideran la conducta correcta. Creen en mantener al niño en su lugar, en restringir su autonomía, y en asignar responsabilidades domésticas para inculcar respeto por el trabajo. Consideran la preservación del orden y de la estructura tradicional como altamente valiosos en sí mismos. No propician el toma y daca verbal, pues creen que el niño debe aceptar como correcto lo que ellos digan.

Los padres autorizativos intentan dirigir las actividades del niño en una forma racional, orientada al tema concreto. Propician la interacción verbal, comparten con el niño el razonamiento que subyace a sus normas, y le preguntan por sus objeciones cuando este se niega a seguirlas. Valoran tanto la voluntad independiente como la conformidad disciplinada. Por lo tanto, ejercen un firme control en los puntos de desacuerdo entre padres e hijo, pero no doblegan al niño con restricciones. Hacen valer su punto de vista como adultos, pero reconocen los intereses individuales y preferencias del niño. Los padres autorizativos afirman las cualidades presentes del niño, pero también establecen patrones para la conducta futura. Usan la razón, la autoridad y el modelado mediante la rutina y el refuerzo para alcanzar sus objetivos, y no basan sus decisiones en el consenso de grupo o en los deseos individuales del niño.

La Wikipedia en inglés, habitualmente bien documentada, también interpreta los estilos parentales en su artículo sobre Baumrind como dos extremos y un centro:

- Autoritario («demasiado duro»)
- Permisivo («demasiado blando»)
- Autorizativo («justo en su punto»)

El psicólogo John Buri, del que luego hablaremos, lo interpreta igual en su artículo de 1991: «Los padres autorizativos, sin embargo, tienden a caer en algún punto entre esos extremos».

El esquema de la figura 1 muestra mi interpretación de la descripción original de Baumrind (hasta donde yo sé, ella no hizo ningún esquema similar), en la que hay muy pocos padres en los extremos y la inmensa mayoría están en el medio. Hay una sola dimensión, podríamos (hipotéticamente) clasificar a un padre con una sola cifra, como basta una cifra (la temperatura) para decir si hace frío o calor. Puesto que Baumrind claramente defiende el estilo autorizativo como el ideal, es tranquilizador pensar que casi todos los padres somos autorizativos.

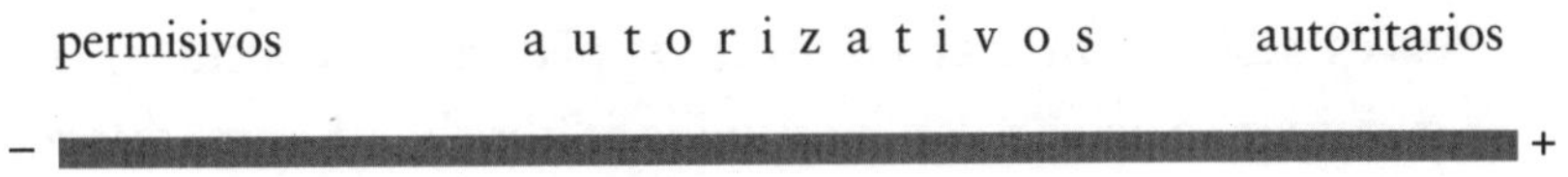

permisivos   a u t o r i z a t i v o s   autoritarios

– ▓▓ +

Fig. 1

Bueno, hay pocos padres permisivos si solo consideras a los que llevan a su hijo a Summerhill (la escuela fundada por A. S. Neill en 1921, que Baumrind cita como ejemplo de permisividad). Pero es que en el mismo documento Baumrind atribuye el auge de la permisividad a «la opinión psicoanalítica» que «proporcionó una justificación para la lactancia prolongada a demanda, el destete tardío y gradual y la enseñanza del control de esfínteres tardía e indulgente», y al libro del Dr. Spock en 1946 (aunque afirma que el mismo Dr. Spock abandonó su excesiva permisividad en la edición de 1957). Sorprende que en los años sesenta, cuando más baja era la tasa de lactancia materna en Estados Unidos, Baumrind haya visto muchos niños con lactancia prolongada y a demanda, y sorprende aún más que no lo atribuya a la entonces reciente fundación de la Liga de la Leche en 1956, sino al psicoanálisis.

Baumrind opina que el estilo autorizativo es el «correcto», y que los otros dos son inadecuados. Se basa para ello en varios estudios previos de otros autores que cita y describe sumariamente. Estudios distintos entre sí y que no se referían exactamente a estos tres tipos de padres, puesto que se hicieron antes de que ella los definiera.

Curiosamente, todos esos estudios que Baumrind cita parece que comparan solo dos, y no tres posibilidades. Según la descripción de la misma Baumrind (no he leído los estudios originales):

1. Seis estudios comparan las prácticas disciplinarias punitivas (que castigan) con las no punitivas. Las punitivas se asocian con más delincuencia (gamberrismo) juvenil, dependencia, agresividad...

2. Dos estudios sobre la retirada del cariño como castigo: se asocia con dependencia.

3. Seis estudios comparan el ofrecer explicaciones contra rigidez. La rigidez se asocia con agresividad, hostilidad, inmadurez...

4. Cinco estudios sobre las demandas de responsabilidades domésticas y de conducta ordenada: se asocian con menos gamberrismo, hostilidad y agresión (en dos de los estudios no hay diferencias entre los dos grupos).

5. Seis estudios comparan la restricción con la autonomía. Los resultados son variables, en uno los chicos que han cometido actos de gamberrismo han tenido menos supervisión pero más control («castigo físico, retirada de privilegios, amenazas, etc.»). En otro, los chicos con más hostilidad habían sido demasiado controlados, o demasiado poco (y este es el único estudio en que parecen revelarse tres grupos, y no solo dos).

6. Dos estudios sobre el ejercicio del poder paterno: se asocia con resistencia al profesor en hogares de clase media; en otro estudio, no influye en la conducta de los chicos, pero se asocia con descontento y turbulencia en chicas adolescentes.

7. Siete estudios sobre el control firme (el padre hace cumplir las reglas, puede resistirse a las demandas del niño, cree en dirigir al niño) frente al control laxo: a más firmeza, menos peleas, menos desobediencia, menos gamberrismo, más madurez (asertividad y confianza en sí mismo). Pero en uno de los estudios los padres permisivos tenían hijos más independientes y sociables.

En total hay solamente doce estudios distintos, pero varios de ellos abordan más de un aspecto y se incluyen en más de un apartado. A partir de estos siete grupos de estudios (dentro de cada grupo se estudian cosas algo distintas, medidas de distinta forma, no extraña que los resultados a veces sean distintos), Baumrind define así sus tres modelos de crianza:

- Autoritario: bajo en 3, alto en 4, 5, 6 y 7, variable en 1 y 2
- Permisivo: bajo en 1, 4, 5, 6 y 7, alto en 3, variable en 2
- Autorizativo: bajo en 1 y 2, alto en 3 y 7, moderado en 4, 5 y 6

¿Cómo se explica que la clasificación en tres tipos de Baumrind tuviera éxito y persistiera hasta nuestros días, cuando casi todos los estudios en que se basaba solo distinguían dos tipos de padres? Quizás precisamente porque, psicológicamente, necesitamos que haya tres grupos para sentirnos mejor. Nuestra cultura (¿o es toda la humanidad?) rechaza el extremismo. Aprendemos desde pequeños que «en el medio está la virtud», que «ningún exceso es bueno». Pero en casi todos los estudios, lo bueno era precisamente uno de los extremos. Si castigar es malo, lo mejor sería no castigar jamás. Si exigir responsabilidades domésticas es bueno, lo mejor sería exigir muchísimas responsabilidades. Los padres (y los psicólogos también son padres, o al menos han tenido padres) raramente están en un extremo. He castigado poco, pero ¿sería mejor padre si hubiera castigado todavía menos? He hecho que mis hijos ayuden en casa y recojan la habitación, pero ¿debería haber insistido más en ello? La clasificación en solo dos tipos deja a la mayoría de los padres preocupados, sintiéndose vagamente insuficientes. En cambio, la clasificación en tres tipos permite a la mayor parte de los padres sentirse buenos padres, en el justo medio, tan lejos de «esos extremistas autoritarios» como de «esos extremistas permisivos».

Baumrind cree que el estilo autorizativo es el mejor, y lo describe de una forma que no deja lugar a dudas. En relación con los estudios científicos, es «moderado en 4, 5 y 6», mientras que los otros no son moderados en nada. En el texto que citamos más arriba, se usa tres veces la palabra *pero* para describir a los padres autorizativos: «firme control... pero no doblegan; hacen valer... pero reconocen; afirman las cualidades del niño, pero establecen patrones de conducta». Es un *pero* moderador, nada en estos buenos padres es extremo. Para describir a los permisivos solo se usa un *pero*; con los autoritarios no hay pero que valga.

Posteriormente, Baumrind realizó varios estudios para poner a prueba su teoría. Por ejemplo, en 1971 publicó un detallado estudio[3] sobre ciento cuarenta y seis niños de cuatro a siete años y raza blanca en varias escuelas. Primero se observaba la conducta de los niños durante varios meses, y se les puntuaba en siete características como hostilidad, resistencia a la autoridad, independencia, dominancia o perseverancia.

Por otra parte, un psicólogo que no había visto al niño en la escuela visitaba en dos ocasiones a la familia, y observaba las interacciones de padres e hijos desde poco antes de la cena hasta que se acostaban (periodo, dice la autora, «que es bien sabido que produce episodios de divergencia entre padres e hijos»), además de entrevistar al padre y a la madre por separado. Así puntuaban a los padres en setenta y cinco aspectos agrupados en quince categorías, como «espera que el niño participe en las tareas domésticas» (le pide que se vista o que guarde los juguetes...), «es directivo» (muchas restricciones para ver la tele, hora fija para acostarse...), o «promueve respeto hacia la autoridad establecida» (las necesidades de los padres tiene preferencia, asume una actitud de infalibilidad personal...). Así clasifican a los padres en los tres

---

3. Baumrind, D., «Current patterns of parental authority». *Developmental Psychology Monographs*, 1971, 4, 1-103.
http://search.proquest.com/docview/614270139/fulltextPDF/13D976FD4D82101989C/1?accountid=15293

tipos clásicos... y cada uno en varios subtipos, ocho en total, porque la variedad de los padres se resiste a ser empaquetada en solo tres paquetes, y las correlaciones estadísticas muestran que los tres tipos no son homogéneos. Además, encontró ocho familias que clasificó como «padres armoniosos», algunos de los cuales se incluyeron en el subgrupo «inconformista» de los autorizativos, mientras que otros resultaron inclasificables.

La conclusión me resulta tan opaca que soy incapaz de resumirla o explicarla, solo puedo reproducir sus palabras textuales:

> La conducta parental autorizativa se asociaba claramente con una conducta independiente y con propósito para las niñas, pero solo se asociaba con dicha conducta para los niños cuando los padres eran inconformistas. El control parental autorizativo se asociaba con todos los índices de responsabilidad social en niños varones, en comparación con el control parental autoritario y permisivo, y con altos logros en las niñas, pero no con la conducta amistosa y cooperativa. Contrariamente a lo esperado, el inconformismo parental no se asociaba con falta de responsabilidad social en niños ni en niñas.

No es un gran resultado. Cuando se correlacionan siete características infantiles con ocho subtipos de padres, lo raro sería que no apareciese alguna relación estadísticamente significativa. Y eso de que las asociaciones sean distintas según el sexo del niño resulta aún menos convincente.

En otra publicación de 1971,[4] Baumrind describe con detalle a esas ocho familias de padres armoniosos (y la elección del nombre ya indica que le han gustado). Se fijó en ellas porque los ob-

---

4. Baumrind, D., «Harmonious parents and their preschool children». *Developmental Psychology*, 1971, 4, 99-102.
http://search.proquest.com/docview/614274052/fulltextPDF/13D9773B4 5CCC1C5B7/1?accountid=15293

servadores encargados de puntuar a los padres en su estudio no quisieron rellenar algunos de los apartados, pues pensaban que «cualquier puntuación en esos apartados sería engañosa, puesto que el padre o madre, aunque casi nunca *ejercía el control*, parecía *tener el control* en el sentido de que el niño habitualmente se esforzaba en intuir lo que quería el padre y hacerlo».

Y añade:

> Mientras los padres permisivos evitaban ejercer el control pero estaban enfadados porque no tenían control, y los padres autoritarios y autorizativos ejercían gustosos el control, los padres armoniosos parecían no ejercer el control ni evitar su ejercicio.

Seis de esas familias tenían niñas, y todas ellas eran «extraordinariamente competentes» y muy inteligentes. En cambio, los dos varones con padres armoniosos eran «cooperativos, obedientes, carentes de objetivos, no orientados al éxito y dependientes», características que la autora considera «afeminadas» (sí, así, como lo oye). De todos modos, son muy pocos para sacar conclusiones.

Elija su estilo

Y ahora la gran pregunta: ¿a cuál de estos tres tipos de padre o madre, autorizativos, permisivos o autoritarios, pertenece usted? Si me limito a leer las tres descripciones, no sé a cuál de los tres tipos pertenezco yo, y mucho menos a cuál pertenecen otros padres a los que conozco personal o profesionalmente.

Quiero pensar que me comporto en forma «no punitiva, aceptante y afirmativa», que consulto y doy explicaciones..., así que debo ser permisivo. Pero también intento moldear la conducta de mis hijos (es decir, intento que sean estudiosos, respetuosos con los demás...), y ¿restringir su autonomía? La verdad es que durante años los he obligado a ir a la escuela y a hacer los deberes, y no les he comprado todas las golosinas y todos los juguetes que me han pedido, así que igual soy un poco autoritario. Y autorizativo..., bueno, ¿quién no estaría de acuerdo con una descripción tan bonita y tan amplia, en la que todo cabe, ya sea delante o detrás del *pero*? Yo mismo no sé lo que soy, y si en vez de preguntarme a mí preguntasen a otras personas que me conocen, o a mis propios hijos, quizás me verían de una forma muy distinta a como yo me veo. Probablemente los padres autoritarios no se consideran a sí mismos autoritarios, y los permisivos exclamarían con sorpresa: «¿Permisivo yooo?».

Es difícil saber a cuál de los tres grupos perteneces, porque no hay criterios claramente visibles, objetivos y objetivables. Quizás por eso el concepto (popular, pues ya hemos visto que los «ocho principios» oficiales son algo distintos) de «crianza con apego» atrae a mucha gente: son instrucciones sencillas, lo haces o no lo haces. Le doy el pecho, lo cojo en brazos y me lo meto en la cama, pues crianza con apego. Pero ninguno de estos tres criterios aparece en las descripciones de Baumrind. Habla de cosas mucho más complejas y mucho más sutiles. Entre los padres que practican o dicen practicar la crianza con apego seguro que hay algunos autoritarios y otros permisivos.

¿Sería el uso de la violencia física un criterio claro? ¿Son autoritarios los que pegan a los niños? En su artículo de 1966, Baumrind no habla claramente de pegar, pero parece que es a eso a lo que se refiere con la palabra *castigo* o su derivado *punitivo*. La definición especifica que los autoritarios toman medidas «punitivas» y que los permisivos son «no punitivos», pero no es clara respecto a los autorizativos. Y en otro párrafo del mismo artículo se alaban las ventajas de los castigos «moderados», y por la forma en que lo dice da la impresión de que se refiere más a un cachete que a no dejarle ver la televisión:

Debe considerarse la posibilidad de que el castigo moderado tenga efectos secundarios beneficiosos, como los siguientes: (a) restablecimiento más rápido de la relación afectiva en ambas partes después de una liberación emocional, (b) alta resistencia a una desviación similar por los hermanos que experimentan indirectamente el castigo, (c) emulación del padre agresivo que resulta en una conducta social asertiva, (d) disminución de la reacción de culpa a la transgresión y (e) aumento de la capacidad del niño para soportar el castigo al servicio de un objetivo deseado.

Los argumentos me parecen cuando menos curiosos, y nunca los había oído en boca de otros defensores de la «bofetada a tiempo»: que el niño imitará la agresividad del padre, que se sentirá menos culpable por lo que hizo mal y que seguirá haciendo lo que le dé la gana sin temor al castigo. Parece, pues, que las bofetadas no son patrimonio exclusivo de los autoritarios.

Y tampoco tienen los autoritarios prohibido el afecto. Como ejemplo de madre autoritaria cita Baumrind a la madre de Wesley (pastor anglicano del siglo XVIII que fundó la Iglesia metodista): se debe «dirigir dulcemente al niño para que sea mejor en el futuro». No he podido averiguar si la madre de Wesley dio el pecho y llevó en brazos a su hijo; por la época y el país es más que probable. Sí que me consta que no fue escolarizado hasta los once años. Un ejemplo de crianza «con apego» y al mismo tiempo autoritaria.

Por otra parte, no parece que los permisivos se caractericen por dejar que el niño haga lo que le dé la gana. «Le dan explicaciones sobre las reglas», es decir, hay reglas; y «para alcanzar sus objetivos» (de los padres), aunque no usan la imposición, sí recurren a la razón y a la manipulación. ¿Manipulas a tu hijo para alcanzar tus objetivos, y aun así te consideran permisivo?

A falta de criterios sencillos y claros para decidir quién es autoritario y quién permisivo, ¿cómo puedo saber a qué grupo pertenezco? Los psicólogos tienen criterios y cuestionarios, luego hablaremos de ello; pero los padres que simplemente leen un breve texto sobre el tema (busque las palabras *autoritario*, *permisivo* en google, y encontrará más de cien mil páginas), ¿en qué pueden basarse para decidir a cuál de estos grupos pertenecen? Hay varios criterios:

1. Por el nombre. Sí, no se extrañe, el nombre es fundamental. Todo el mundo quiere pertenecer a un grupo que tiene un buen nombre. Yo mismo, la primera vez que oí hablar de los estilos parentales de Baumrind, opté por el permisivo, porque me suena mejor «permisivo» que «autoritario» o «autorizativo». Decidí ser permisivo sin haber leído las definiciones, solo por el nombre, y luego me dio mucha rabia ver que la definición presentaba la permisividad como algo malo, y tal vez por eso he dedicado tantas horas a leer algunos de los estudios originales y a escribir este largo y pesado capítulo.

Todos nos identificamos más con el nombre de la cosa que con su detallada definición. Votamos «derecha» o «izquierda» porque «yo soy de derechas» o «yo soy de izquierdas», sin habernos leído el programa de cada partido.

Imagine que una revista le propone un artículo, «¿Qué tipo de conductor es usted?». Hay dos tipos:

A. Respeta escrupulosamente las señales de tráfico y los límites de velocidad. Siempre se abrocha el cinturón de seguridad. Se aparta para permitir que otros vehículos lo adelanten.

B. En ocasiones, cuando le parece seguro, supera los límites de velocidad. Ignora algunas señales que le parecen claramente injustificadas. Adelanta en circunstancias en que otros conductores no se atreverían a adelantar. Valora por sí mismo cuándo es necesario ponerse el cinturón de seguridad y cuándo no.

¿Qué tipo de conductor es usted, A o B? Ahora probemos a ponerle un nombre a cada tipo. Recuerde, la definición sigue siendo exactamente la misma:

¿Qué tipo de conductor es usted, A (experimentado) o B (imprudente)?

¿Qué tipo de conductor es usted, A (tranquilo) o B (deportivo)?

¿Qué tipo de conductor es usted, A (acobardado) o B (valeroso)?

¿A que la cosa cambia? Desde luego, es más fácil identificarse con un grupo si nos gusta el nombre.

Baumrind eligió nombres desagradables para los estilos parentales que no le gustaban. A nadie le gusta que le consideren autoritario, sobre todo en Estados Unidos, «el país de los libres y el hogar de los valientes». Y «permisivo» es un concepto muy desprestigiado en los Estados Unidos (no tanto en España, donde hemos sufrido una dictadura de derechas y por tanto parecía lógico hacer todo lo contrario, tal vez por eso a mí me gusta que me llamen permisivo). En 1985 el Dr. Spock, el célebre autor de libros sobre crianza, consideró necesario defenderse, en el prólogo de la nueva edición de su libro, de las falsas acusaciones de «permisividad» que había recibido. ¿Qué pasaría si los tres estilos de crianza, en vez de *autoritario*, *autorizativo* y *permisivo*, se llamasen *coherente*, *inseguro* y *cariñoso*, sin cambiar ni una coma de sus respectivas descripciones?

2.   Adaptarse a la mayoría. Si la mayor parte de los padres son autorizativos, entonces yo también debo de serlo. Por eso los partidos políticos intentan publicar encuestas que los favorecen. Mucha gente piensa: «si todo el mundo va a votar a Fulanito, yo lo votaré también».

3.   Seguir las instrucciones. Si el libro dice que el autorizativo es el bueno, seremos autorizativos.

4.   Buscar el punto medio. Como Ricitos de Oro en la casa de los tres ositos: ni la sopa más caliente ni la más fría; ni la cama más blanda ni la más dura.

¿Ve cuál era mi problema? Por el nombre, me gustaba más ser un padre permisivo. Pero los otros tres criterios no concordaban. La mayoría, que además está en el medio, es autorizativa, y encima el libro dice que autorizativo es mejor que permisivo.

Cómo evaluar a los padres

Baumrind y otros autores hicieron numerosos estudios para comprobar los efectos de los distintos estilos parentales sobre el resultado final, «cómo sale el chico». Al principio, los investigadores clasificaban a los padres en uno u otro estilo mediante largas entrevistas y observación directa de la relación entre padres e hijos. Algo que, guste o no, depende mucho de la opinión del entrevistador. Luego surgieron cuestionarios estructurados, lo que permite hacer estudios más rápidos y mucho más baratos, y produce un resultado que depende menos del entrevistador y más del que diseñó el cuestionario.

En 1991, Laurence Steinberg y colaboradores publicaron uno de esos estudios.[5] Los padres fueron simplemente clasificados como «autorizativos» o «no autorizativos» (sin distinguir entre autoritarios y permisivos) en función de tres cuestionarios que se pasaban a los hijos, unos diez mil alumnos norteamericanos de secundaria (quince a dieciocho años). Debe señalarse que, cuando se entrevista por separado a padres e hijos, los padres suelen verse a sí mismos menos autoritarios de lo que los ven sus hijos (increíble, ¿no?). Los cuestionarios pretendían clasificar a los padres según tres parámetros, que los autores consideran definitorios de la paternidad autorizativa: aceptación/implicación, control firme y autonomía psicológica. Algunos ejemplos de preguntas:

- Aceptación/implicación: ¿Puedo contar con que me ayudará si tengo algún problema?; ¿Me ayuda con los deberes si hay algo

---

5. Steinberg, L., Mounts N. S., Lamborn S. D., Dornbush, S. M.; «Authoritative parenting and adolescent adjustment across varied ecological niches». *Journal of Research on Adolescence*, 1991, 1, 19-36.
www.viriya.net/jabref/resilience/authoritative_parenting_and_adolescent_adjustment_across_varied_ecological_niches.pdf

que no entiendo?»; «¿Con qué frecuencia hacéis en vuestra familia cosas divertidas todos juntos?».

- Control firme: «¿En qué medida intentan tus padres saber dónde vas por la noche?»; «En una semana típica, de lunes a jueves, ¿hasta qué hora puedes estar fuera de casa?»; «¿Hasta qué punto tus padres conocen de verdad lo que haces en tu tiempo libre?».
- Autonomía psicológica: «¿Con qué frecuencia tus padres te dicen que sus ideas son las correctas y que no debes cuestionarlas?»; «¿Con qué frecuencia tus padres contestan a tus argumentos diciendo cosas como "ya lo entenderás cuando seas mayor"?»; «¿Intentan tus padres amargarte la vida cuando sacas malas notas?». (Obsérvese que estas preguntas puntúan de forma inversa: los padres sacan mejor puntuación en autonomía si la respuesta es «nunca»).

Para ser considerados autorizativos, los padres tenían que sacar una nota superior a la mediana en los tres parámetros. (Breve recordatorio: la media se halla sumando todos los valores y dividiendo por el número de individuos; la mediana es el valor del individuo que está justo en medio cuando los ordenas de mayor a menor, es lo mismo que el percentil 50; la moda es el valor más frecuente. En una distribución estadísticamente normal, la moda, la mediana y la media coinciden. Pero normalmente las distribuciones no son normales, y la media está algo por encima o por debajo de la mediana).

Encontraron, para empezar, que el porcentaje de padres autorizativos variaba según la raza (más en los blancos que en los negros, hispanos o asiáticos) y la clase social (más en la clase media que en la clase obrera), y también había más padres autorizativos en las familias «intactas» (el adolescente convive con ambos padres biológicos). El porcentaje más alto, 25 % de padres autorizativos, se daba en las familias intactas blancas de clase media; el más bajo, solo un 6 % de padres autorizativos, en las familias no intactas de origen asiático y clase obrera.

Entonces relacionaron la clasificación de los padres con cuatro índices del ajuste psicosocial de los hijos: sus notas escolares, su confianza en sí mismos, su grado de distrés psicológico y sus actividades delictivas. Los hijos de padres autorizativos obtuvieron mejor puntuación en todo, aunque la magnitud del efecto no fue muy grande. Concretamente las notas escolares se puntuaban con una nota media de curso valorada del cero al cuatro, y comunicada por los mismos estudiantes (no, no fueron a consultar las notas a la secretaría de la escuela, dieron por bueno lo que el estudiante decía, los autores explican que en otros estudios distintos se ha encontrado una correlación de 0,75 entre las notas que cuenta el estudiante y las reales. Por supuesto, ir al archivo y mirar las notas tendría una correlación de 1,00).

Por poner solo algunos ejemplos (multiplico las notas del estudio por 2,5 para obtener puntuaciones sobre 10, más comprensibles para el lector español): los blancos de clase media con familia intacta y padres autorizativos tenían una nota media de 8,35; los no autorizativos, 7,45. Lo mismo para la clase obrera: 6,97 y 6,42. Hispanos de clase media, 7,20 y 6,42; hispanos de clase obrera, 7,07 y 6,07. Primero, las diferencias son pequeñas, no estamos hablando de sobresalientes contra suspensos, sino apenas de mejorar unas décimas. Segundo, las diferencias más importantes no se deben al estilo de los padres, sino a la raza y la clase social. Vamos, que en realidad, si quieres sacar buenas notas, lo importante no es buscar unos padres que te eduquen bien, sino que sean blancos y de clase media. Y las diferencias de puntuación en los otros tres aspectos tampoco llamaban mucho la atención.

Así que parece que los autorizativos no son, en realidad, la mayoría de los padres, sino una minoría: entre el 6 % y el 25 %, según la raza y la clase social. Pero eso se debe al peculiar diseño del estudio. No existía un criterio previo con el que distinguir a los autorizativos de los no autorizativos, sino que el punto de corte se situó arbitrariamente en la mediana. Es como si pusiéramos en la mediana el límite entre los ricos y los pobres: por definición, la mitad son ricos, y la mitad son pobres. En cualquier población. La mitad de los haitianos serían ricos, y la mitad de los suizos serían pobres. Como en el estudio de Steinberg hay tres parámetros y se exige «aprobar» los tres para ser autorizativo, el resultado es bastante menos de la mitad (si los tres parámetros no tuvieran nada que ver entre sí, tendríamos que el 50 % aprueban el primero, la mitad de estos, 25 % del total, aprueban también el segundo, y la mitad de estos, 12,5 % del total, aprueban los tres. Como en realidad hay cierta correlación entre los tres parámetros, si apruebas uno, es más fácil aprobar también los otros, y el resultado final es superior al 12,5 %). Así que no están estudiando, en realidad, un grupo de padres intrínsecamente autorizativos, sino un grupo de padres algo más autorizativos que sus vecinos.

El mismo año, 1991, en que Steinberg publicaba su estudio, el psicólogo John Buri proponía el *Cuestionario de autoridad parental*.[6] Es un cuestionario destinado a adolescentes y adultos jóvenes, y contiene treinta preguntas a las que se puede contestar del 1 (fuertemente en desacuerdo) al 5 (fuertemente de acuerdo). Diez de las preguntas se refieren a cada uno de los tres estilos de crianza, de modo que en cada uno de ellos los padres pueden ser puntuados del 10 al 50. Se puede preguntar por separado para el padre y para la madre, así que el cuestionario tiene en total seis escalas (autoritarismo materno, autoritarismo paterno...). Ejemplos de enunciados:

- En mi infancia, mis padres no me permitían cuestionar ninguna decisión que hubieran tomado.
- En mi infancia, mis padres dirigían las actividades y decisiones de los niños en la familia mediante el razonamiento y la disciplina.

---

6. Buri, J. R., «Parental authority questionnaire». *J Pers Assess*, 1991, 57, 110-119.
www.geneseo.edu/~bearden/socl212/PAQ.pdf

- En mi infancia, mis padres me permitían formar mi propio punto de vista sobre asuntos familiares y generalmente me permitían decidir por mí mismo lo que iba a hacer.

¿Adivina a cuál de los estilos corresponde cada opción?

¿Cómo se diseña un cuestionario como este, cómo se sabe si funciona? Buri explica en su artículo el proceso seguido:

Primero, a la vista de las descripciones originales de Baumrind, ideó cuarenta y ocho preguntas. Después enseñó esas preguntas a veintiún profesionales (psicólogos, educadores, sociólogos y trabajadores sociales) que decidieron si cada una de ellas correspondía claramente a uno de los tres estilos parentales. En treinta y seis de las cuarenta y ocho preguntas, al menos veinte de los veintiún jueces estuvieron de acuerdo. De estas treinta y seis, se eligieron treinta preguntas para formar parte del cuestionario definitivo.

En tercer lugar, comprobó la **fiabilidad test-retest**. Es decir, si la misma persona, al pasarle dos veces el mismo cuestionario, contesta más o menos lo mismo. Porque si cada vez contesta diferente, el cuestionario no sirve para nada. Para ello pasó la encuesta a sesenta y un estudiantes de psicología (diecinueve años), y de nuevo dos semanas después. Sí, contestaban más o menos (pero no exactamente) lo mismo.

En cuarto lugar, comprobó la **consistencia interna**; es decir, si las distintas preguntas que forman parte del test obtienen respuestas coherentes. Aquí hay que buscar un cierto equilibrio. Si una de las preguntas suele tener una respuesta contradictoria con las demás, tal vez es que esa pregunta está mal planteada o no se entiende o no sirve. Pero tampoco queremos que todas las preguntas tengan exactamente la misma respuesta, porque entonces, ¿de qué sirve hacer diez preguntas? Bastaría con hacer una. La consistencia interna se mide con un coeficiente estadístico llamado *Alfa de Cronbach*. Se considera aceptable si el resultado es más de 0,7, bueno si es más de 0,8, excelente si es más de 0,9. Buri pasó su cuestionario a ciento ochenta y cinco estudiantes de psicología de dieciocho años, y obtuvo consistencias de entre 0,74 y 0,87 para las distintas escalas.

En quinto lugar, comprobó la **validez discriminante**. Si existen tres estilos de crianza diferenciados, el padre que tiene una puntuación alta en una escala debería tenerla baja en las otras. Es decir, no se puede ser autorizativo y permisivo al mismo tiempo. Esto se comprobó en otro grupo de ciento veintisiete estudiantes; en efecto, las distintas escalas daban resultados opuestos.

En sexto lugar, pasó a esos mismos ciento veintisiete estudiantes un cuestionario (también ideado por el mismo Buri tres años antes) sobre cuidados parentales (*nurturance*, término de difícil traducción que implica proporcionar apoyo material y emocional para satisfacer las necesidades de los niños). Partía de la hipótesis de que ser autorizativo tendría una **correlación** positiva con los cuidados; ser autoritario, una correlación negativa (es decir, cuanto más autoritarios, menos cuidado); y ser permisivo no tendría ninguna correlación. Y eso es lo que encontró, precisamente, lo que en su opinión confirma la validez del cuestionario.

En séptimo lugar, Buri se planteó si la gente podía estar falseando las respuestas para quedar bien. Ya antes de Baumrind la sociedad norteamericana tenía en general la idea de que un buen padre no debe ser ni demasiado autoritario ni demasiado permisivo, y sin duda en los veinte años transcurridos desde Baumrind esa creencia se había extendido y reforzado. A la gente no le gusta hablar mal de sus padres. Pero, claro, no había manera de comprobar si las respuestas de aquellos jóvenes se correspondían realmente con lo que había ocurrido años atrás en sus hogares.

Así que Buri decidió comparar, en otros sesenta y nueve estudiantes, los resultados de su cuestionario con los de la *Escala de deseabilidad social* de Marlowe y Crowne. Esta es una escala ideada en 1960 para medir hasta qué punto un individuo tiene tendencia a falsear sus respuestas para decir lo que queremos oír, o lo que le hará parecer mejor persona. Es un ingenioso cuestionario con treinta y tres preguntas trampa, que se refieren a cosas que casi todo el mundo ha hecho mal en alguna ocasión, pero que a casi nadie le gusta confesar. Afirmaciones como «siempre estoy dispuesto a reconocer que me he equivocado», «siempre soy educado, incluso con las personas que son desagradables» o «nunca emprendo un viaje largo sin revisar la seguridad de mi coche». El que saca muy buena nota en ese cuestionario, o bien es un verdadero santo, o más probablemente es un mentiroso. Si la gente estuviese falseando las respuestas al *Cuestionario de autoridad parental*, existiría una correlación entre ese cuestionario y el de *deseabilidad social*: la gente que dice tener una conducta angelical tendría los padres más autorizativos, menos autoritarios y menos permisivos. Pero no existía tal correlación, lo que indica que la gente estaba contestando honradamente.

Por último, Buri pasó su cuestionario a otros ciento setenta y nueve estudiantes de enseñanza media y superior, un poco para ver los «valores normales» en la población. Las puntuaciones eran más altas en la escala autorizativa, y más bajas en la permisiva.

Este es más o menos el proceso que se suele seguir para elaborar y validar un cuestionario. Es un proceso largo y laborioso, y el resultado es una herramienta útil para un trabajo serio, algo muy distinto de esos supuestos «test psicológicos» que suelen publicar las revistas populares, tipo «¿Es usted ahorrador?», «¿Es usted una madre sobreprotectora?», y que alguien se ha sacado de la manga en un par de horas.

Pero incluso siendo una cosa seria, no deja de ser cierto que todo depende de una serie de suposiciones de partida. Baumrind decidió que existían tres tipos de padres, no dos ni siete (aunque luego, como veremos, fue cambiando de idea). Decidió que los tipos de padres eran esos y no otros. Y a partir de ahí se ha hecho un cuestionario que parece funcionar para identificar y diferenciar a los padres de esos tipos. Si hubiéramos partido de unas definiciones distintas, habríamos planteado unas preguntas distintas. Ninguna de las treinta preguntas habla sobre pegar o no pegar bofetadas, o sobre dejar o no dejar llorar a los niños, o sobre cogerlos o no cogerlos en brazos, o sobre gritarles o no gritarles, sobre pasar horas cada día hablando o jugando con los hijos o dejarlos todo el rato viendo la tele. Porque esas cosas no estaban en las definiciones originales que dio Baumrind. Y sin embargo a mí me parece que conocer esas cuestiones sería muy importante para saber qué tipo de padres hemos sido.

A veces no acabo de entender bien una pregunta hasta que intento realmente contestarla. Así que decidí rellenar el cuestionario de Buri pensando en mis propios padres. Me salieron básicamente autorizativos, pero también muy permisivos (pobrecitos, y yo que me quejaba...); el experimento me sirvió para ver que, en efecto, varias de las preguntas resultan muy difíciles de comprender y contestar. Prácticamente lo acabas poniendo a boleo. Sobre todo las preguntas con un *pero*. Recuerde, la descripción original del estilo autorizativo estaba llena de *peros*, y eso se ha transmitido a las preguntas del cuestionario. Cinco de las diez preguntas sobre el estilo autorizativo contienen la palabra *pero*. Ninguna de las otras veinte preguntas contiene un *pero*. Siendo *pero* una conjunción adversativa, las oraciones que la contienen constan por definición de dos cláusulas más o menos opuestas. Si estoy de acuerdo con la frase, ¿con qué estoy de acuerdo, con lo que viene antes, o con lo que viene después del «pero»?

Por ejemplo, el enunciado «tenían normas claras de conducta para los niños en nuestra casa, pero estaban dispuestos a adaptar estas normas a las necesidades de cada uno de los niños de la familia». Si contesto que estoy «fuertemente en desacuerdo», ¿estoy diciendo que no tenían normas, o que las tenían pero no eran claras, o que las tenían pero no estaban dispuestos a adaptarlas a cada niño, o que eran unas normas tan buenas que no hizo falta adaptarlas porque los hijos estábamos completamente de acuerdo, o que soy hijo único y por tanto no hubo que adaptar nada a otros niños?

Me pregunto si el mismo Buri se dio cuenta de cuántos *peros* había puesto en los enunciados autorizativos, y si esos *peros* contribuyeron a que las puntuaciones fueran más altas. Pues, como ya hemos comentado, las frases con un *pero* nos atraen más, nos parecen menos extremistas, más matizadas. Siempre es más fácil estar de acuerdo con una frase que contiene un *pero*.

Y otras muchas preguntas me dejan perplejo, sin necesidad de contener un *pero*. Por ejemplo, «me permitían decidir la mayor parte de las cosas por mí mismo sin muchas indicaciones por su parte». Bueno, por supuesto, yo no podía decidir si iba al cole o no, o si hacía los deberes o no, o a qué hora me levantaba. Pero ningún niño puede decidir esas cosas, ¿verdad? Por tanto, no es posible que el que hace la pregunta esté pensando en ese tipo de asuntos, porque sería una pregunta absurda. Pero sí que podía decidir, hasta cierto punto, las cosas que es razonable que decidan los niños: si estudiaba antes las mates o la geografía, si quería un helado de chocolate o de fresa, qué camiseta me ponía, con cuál de mis juguetes jugaba... Si mi madre me decía «ponte la bufanda, que hace frío», ¿eso es dar «muchas indicaciones»? Pero eso lo dicen todas las madres, ¿no? A los cuarenta años me lo seguía diciendo. ¿Qué puntuación les puedo poner en esta pregunta, qué puntuación pondría usted a sus padres?

Perplejo, decidí pasar el cuestionario a mis hijos (ya en la veintena), para ver si ellos también encontraban las preguntas confusas o si soy yo el raro. Soy yo el raro. Pero para nuestro gran alivio, ¡fuimos permisivos! Fuimos, en opinión de nuestros hijos, predominantemente permisivos, un poco autorizativos, casi nada autoritarios. Ahora puedo echarme flores. Si me llega a salir mal el test, tengo que quemar todas las pruebas.

No, es broma. Me he dejado llevar por la curiosidad y he mirado mi nota, pero para poder atreverme a hacer una cosa así, he tenido primero que tener bien claro que la nota no tiene ninguna importancia, que no significa nada. No les recomiendo que pasen el cuestionario a sus hijos. El aprendiz de psicólogo, como el aprendiz de brujo, puede meterse en problemas, y el que pregunta lo que no debe puede oír lo que no quiere.

Los resultados individuales de este cuestionario no tienen ningún valor porque no está hecho para eso. Algunos test psicológicos son de uso clínico, sirven al profesional para valorar la personalidad, los síntomas o los problemas de un paciente, y para orientar su tratamiento. Pero incluso esos test son solo orientativos, el psicólogo no puede basarse únicamente en ellos.

Son solamente orientativos porque, como hemos visto, la validez interna y externa de un test psicológico es, en el mejor de los casos, baja. A los autores les parece magnífico que el mismo test, hecho con dos semanas de diferencia, dé el mismo resultado en el 80 % de los casos. Pero en una prueba médica de tipo biológico no admitiríamos semejante margen de error. No admitiríamos que la prueba del sida o la radiografía que detecta un cáncer de pulmón o el análisis que diagnostica una diabetes tuvieran un 20 % de errores.

Entre otras cosas, los test psicológicos parten de la optimista suposición de que la gente conoce las respuestas. Si hacemos un examen por sorpresa a un grupo de adultos jóvenes, muchos no sabrán cuál es la capital de Malasia, la aceleración de la gravedad o la superficie del círculo. ¿Y creemos que si les preguntamos por lo que hacían sus padres diez o quince años atrás, se van a acordar y nos lo explicarán a la perfección?

Incluso los test de uso clínico, decía, se han de usar con precaución. Pero es que el *Cuestionario de autoridad parental* de Buri no ha pretendido jamás ser un cuestionario de uso clínico. Pertenece a otro grupo completamente distinto, el de los test usados como herramientas de investigación. No sirve para valorar a un padre concreto, porque el margen de error es demasiado amplio. Pero se confía en que los errores no vayan siempre en la misma dirección, sino que más o menos se compensen y la media de varias personas sea más fiable. Así se hacen estudios como los que ya hemos comentado (y otros que comentaremos más adelante) en los que se compara si un grupo de adolescentes hijos de padres con tendencia al autoritarismo sacan mejores o peores notas, tienen más o menos problemas con las drogas, que otro grupo de adolescentes cuyos padres tienen más tendencia a la permisividad.

Otra cosa me llamó la atención en los test rellenados por nuestros hijos: nos daban notas altas en casi todas las preguntas sobre permisividad (por ejemplo, «generalmente me permitían decidir por mí mismo lo que iba a hacer»), excepto en una, con la que no estaban nada de acuerdo: «Mis padres no se consideraban responsables de dirigir y guiar mi conducta». Ya sé que Buri había medido la consistencia interna de su cuestionario, pero no puedo dejar de pensar que estas dos frases se refieren a dos tipos de padres muy distintos. Una cosa es permitirles decidir, y otra cosa muy distinta es que no seamos responsables de orientarlos y guiarlos. Precisamente necesitan nuestra orientación y nuestra guía para poder decidir adecuadamente, porque son niños pequeños y no sabrían qué hacer sin nuestra ayuda. Los padres que no se sienten responsables de orientar a sus hijos son todo lo contrario, irresponsables. La definición de «padres permisivos» estaba metiendo en el mismo saco a aquellos que respetan a sus hijos y les dan una libertad razonable y a aquellos que simplemente pasan de sus hijos y no les hacen caso. Y otros psicólogos ya se estaban dando cuenta del problema.

No todos los permisivos son iguales

En efecto, cuando Buri propuso su cuestionario, el modelo tripartito ya empezaba a quedarse obsoleto. En 1983, Eleanor Maccoby y John Martin habían modificado la clasificación para incluir un cuarto estilo parental. Los padres ya no se sitúan sobre un mismo eje lineal, sino en un plano definido por dos ejes: la exigencia (el grado en que los padres esperan de su hijo una conducta madura y responsable) y la responsividad (el grado en que los padres responden a las necesidades del niño). Estos dos ejes son independientes, es decir, conociendo el grado de exigencia, no podemos predecir la responsividad, y viceversa. Para clasificar a un padre ya no basta con una cifra, necesitamos dos, lo mismo que hace falta una longitud y una latitud para situar un punto en el mapa. Si los padres muy exigentes pueden ser responsivos (autorizativos) o no responsivos (autoritarios), y el efecto sobre el niño es muy distinto, resultaba injusto mezclar a todos los padres poco exigentes en el grupo de «permisivos», sin tener en cuenta que también ellos pueden ser muy responsivos o poco responsivos, y que el efecto de unos y otros también puede ser muy distinto. No es lo mismo permitir que el niño haga cosas que despreocuparse y «pasar» del niño.

En la figura 2 se muestra un esquema de esta clasificación (y esta vez no me lo he inventado yo; es el esquema con el que los psicólogos suelen explicar el tema). Los padres autoritarios muestran mucha exigencia y poca responsividad. Los autorizativos, mucha exigencia y mucha responsividad. Y a los permisivos se nos han dividido en dos grupos: los indulgentes, que muestran poca exigencia pero mucha responsividad, y los negligentes, con poca exigencia y poca responsividad.

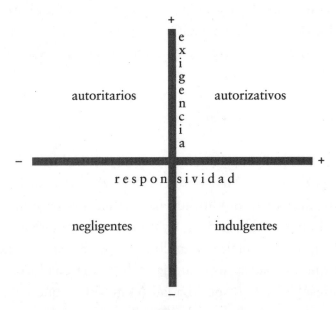

Fig. 2

Esta es la clasificación que desde hace décadas suelen emplear los trabajos científicos. La nomenclatura varía enormemente, sobre todo en español, pues distintos autores han traducido de distinto modo los términos ingleses (y puede que el distinto nombre implique ligeras diferencias de matiz). Así, la exigencia *(demandingness)* se ha denominado *severidad, imposición, control...* y la responsividad *(responsiveness)* también se ha llamado *afecto, aceptación, implicación, disponibilidad...*

Teóricamente, los autoritarios y los autorizativos tienen la misma exigencia con sus hijos, solo se diferencian en su responsividad. Pero ¿realmente es lo mismo? Los padres que dicen «¡Haz los deberes ahora mismo, o te quedas sin ir al parque!» y los que dicen «¡Venga, vamos a hacer los deberes, a ver si acabamos pronto y podemos ir al parque!», ¿tienen realmente el mismo grado de exigencia, puesto que los dos insisten en que los niños hagan los deberes? ¿O están haciendo más bien cosas completamente distintas?

Esta nueva clasificación tiene implicaciones muy distintas de la tripartita. Los autorizativos ya no están en el medio, ya no tienen una responsividad moderada y una exigencia moderada. Tienen (o pueden tener) tanta exigencia como los autoritarios, y tanta responsividad como los indulgentes. En el medio ya no hay nada, sino una especie de vacío. Los cuatro tipos de padres están en las cuatro esquinas, todos son (o pueden ser) igual de «extremistas». Pero, claro, esos extremos son solo caricaturas, en las que se exageran los rasgos distintivos con fines didácticos, para poder explicar en qué se diferencian unos padres de otros. Encontrará innumerables páginas de Internet con descripciones más o menos científicas que le permitan saber «qué tipo de padre es». En la vida real existen muy pocos padres «autoritarios» que eduquen a sus hijos con la vara en una mano y la Biblia en la otra (recuerde, Baumrind usó el adverbio *teológicamente*), sin el menor signo de afecto; muy pocos padres negligentes, que no van a reñir a sus hijos si se ensucian pero tampoco piensan lavarles la cara, y muy pocos padres indulgentes que abrazan a sus hijos y juegan con ellos, pero que no les exijen lavarse los dientes o hacer los deberes, ni los riñen si rompen cosas o pegan a otros niños. En la vida real, la mayoría de los padres estarán precisamente en ese centro que parece un vacío pero no lo es, allí donde se cruzan los ejes y se encuentran los cuatro estilos.

Y por tanto, en la vida real es muy difícil distinguir a los padres de los «distintos» tipos. Es como ser alto o bajo: si los bajos miden menos de un metro y medio, y los altos miden más de dos metros, es muy fácil distinguirlos a simple vista. Pero si decidimos que todo el mundo es necesariamente o «alto» o «bajo», y que el límite está exactamente en un metro setenta y tres centímetros, será muy difícil saber quién es alto o bajo sin tomar medidas precisas. Y muchas veces, incluso con el metro en la mano, nos costará decidirnos. Con la dificultad añadida de que las mediciones de la exigencia y de la responsividad son burdas aproximaciones. No tenemos nada tan exacto como un metro. Es como si intentásemos medir la estatura de la gente con un cuestionario, con enunciados como «mis amigos tienden a considerarme alto» o «a veces me gustaría haber crecido más», enunciados a los que habría que contestar «casi nunca/a veces/generalmente/casi siempre». Hay muchos cuestionarios distintos para intentar medir la exigencia y la responsividad, cuestionarios que dan más importancia a unos factores o a otros, y hay cuestiones en las que es más fácil engañar o es más probable que te engañen (pocos padres afirmarían, por ejemplo, «yo pego bofetadas a mi hijo casi todos los días»). Los distintos estilos de crianza no se definen igual en distintos estudios, ni en distintos países, ni en distintas épocas.

La mayoría de los padres están, en realidad, en el centro, cerca del cruce de caminos, en lo que parecía un vacío. Y por tanto se parecen bastante unos a otros. Una persona «alta» de un metro setenta y cinco se parece más a una persona «baja» de uno setenta y uno que a otra persona «alta» de uno noventa y siete. Es absurdo intentar distinguirnos con etiquetas, «yo soy bajo, tú eres alto», «yo soy indulgente, tú eres autoritario».

Con el modelo cuatripartito, los permisivos ya no somos extremistas. Bueno, puede haber permisivos extremistas, pero también permisivos de centro. Y autoritarios de centro. Y hay muy pocas diferencias entre unos y otros centristas.

Se han propuesto clasificaciones con cinco tipos (lo que recupera un tipo central y deja a los otros cuatro en las esquinas), y la misma Baumrind propuso en 1991 nueve tipos. Pero la clasificación de cuatro tipos sigue siendo la más usada.

¿Debería convertirme al *autorizativismo*?

La mayoría de los estudios coincidían en que los hijos de los padres autorizativos obtenían los mejores resultados en casi cualquier campo que quisieras mirar: sacaban mejores notas, eran más estables psicológicamente, consumían menos alcohol y drogas, cometían menos hurtos y actos vandálicos...

¿Qué pueden hacer los padres cuando los expertos insisten en decir que ser autorizativo es lo mejor? Hay varias posibilidades:

1. Imaginarnos que ya somos autorizativos. Es muy sencillo. La mayoría de la gente, sea como sea y haga lo que haga, cree ser «normal» y hacer las cosas «bien». Los estudiantes de medicina aprendemos a someter a los pacientes a una especie de «tercer grado», por ejemplo, para averiguar cuánto alcohol consumen. A la pregunta general «¿cuánto bebe usted?», la mayoría de la población responde «lo normal». Entonces empieza el interrogatorio detallado: «¿Qué bebe antes de desayunar? ¿Qué bebe con el desayuno? ¿Qué bebe a media mañana? ¿Qué bebe con la comida? ¿Qué bebe después de comer? ¿Y cuántas cervezas? ¿Algún aperitivo? ¿Cuánto le dura la botella de vino? ¿Algún licor?...». Es asombroso cuánta gente que bebe cada día cinco cervezas, cuatro carajillos, una botella y media de tintorro y dos vasi-

tos de orujo está convencida de que bebe «lo normal». Del mismo modo, las definiciones habituales de los estilos parentales son tan vagas que, si no mueles a tu hijo a palos, es fácil convencerte de que no eres autoritario, y a poco que le hagas lavarse los dientes e ir a la escuela cada día, puedes pensar que tampoco eres permisivo.

2. Admitir (o creer erróneamente) que no somos autorizativos, y esforzarnos de corazón por serlo. Para lo cual tal vez se nos ocurra (o nos recomienden) hacer cosas que no tienen nada que ver con ser autorizativos.

3. Analizar esos estudios que muestran las ventajas del modelo autorizativo, buscando posibles fallos y ofreciendo interpretaciones alternativas. Lo ha hecho, entre otros, Catherine Lewis (hablaremos de ella más adelante).

4. Hacer nuevos estudios que ofrezcan distintos resultados. También se ha hecho. En realidad fue un titular en la prensa española en el año 2012, que decía algo así como «Investigadores valencianos encuentran que en España la crianza permisiva da mejores resultados», lo que me llevó a escribir este capítulo. Luego hablamos de ello.

5. Negar la mayor. Negar que la forma de educar a los hijos deba basarse en supuestas consecuencias a largo plazo detectadas mediante estudios científicos.

Comencemos con el análisis crítico de los estudios científicos. Hemos visto que muchos de ellos clasifican a los padres pasando un cuestionario a los hijos (en otros casos, el cuestionario se pasa a los padres). ¿Son realmente válidos estos cuestionarios, miden lo que queremos medir? ¿Son fiables, lo miden con exactitud? Algunos de ellos, como el de Buri que mencionamos antes, han sido validados (es decir, se ha comprobado científicamente su validez). Pero solo en cuanto a su validez interna (si las distintas preguntas dan resultados coherentes, si la misma persona contesta lo mismo al cabo de unas semanas...): Buri no hizo ni el más mínimo intento para ir a ver a los padres y comprobar si eran de verdad tan autoritarios o permisivos como sus hijos los describían.

Por ejemplo, Rosa Bersabé y colaboradores validaron dos cuestionarios,[7] uno para padres y otro para hijos. La correlación Alfa de Cronbach (ver página 69), que mide la coherencia entre las distintas preguntas de cada cuestionario, estaba en torno a 0,8. Midieron la validez convergente pasando a los mismos sujetos otros cuestionarios más antiguos (entre ellos el de Buri) que se supone deberían de dar el mismo resultado, y la correlación fue bastante buena (aunque tampoco perfecta). Hallaron que la correlación entre los cuestionarios de los padres y de los hijos era muy pobre; no tenían nada que ver. No comprobaron la fiabilidad test-retest (es decir, volver a pasar el mismo cuestionario a los mismos sujetos para ver si contestan lo mismo), pero explican que esa prueba había sido hecha con el *Cuestionario de autoridad parental* de Buri, y al cabo de dos semanas la fiabilidad estaba entre 0,77 y 0,92, lo que se considera «bastante estable» (¿bastante estable? La estabilidad perfecta es 1; si me pasan un cuestionario sobre mi nombre, fecha de nacimiento, DNI, domicilio, estado civil…, mi estabilidad siempre será 1. Y en cambio, al preguntarme si mis padres fueron o no autoritarios, parece que solo coincidiría cuatro de cada cinco veces).

Puesto que la opinión de los hijos y de los padres no coincide, ¿quién tiene razón? ¿Acaso se equivocan los dos? No lo sabemos. Sería muy difícil comprobar si el resultado del cuestionario se corresponde con la realidad, porque ¿cómo medimos esa realidad? Un hipotético cuestionario tipo «¿es usted alto o bajo?» se podría validar midiendo a los sujetos y viendo si su altura real correspon-

---

7. Bersabé, R., Fuentes, M. J., Motrico, E.; «Análisis psicométrico de dos escalas para evaluar estilos educativos parentales». *Psicothema*, 2001, 13, 678-684.
http://156.35.33.98/reunido/index.php/PST/article/viewFile/7885/7749

de con su puntuación en el cuestionario. Pero ¿cuál es el medio real, objetivo, para ver si los padres son realmente autoritarios? Hemos visto que Baumrind observó directamente la conducta de los padres en la infancia (¿se comportan igual los padres cuando se saben observados?), pero eso es muy difícil y por tanto los estudios son muy pequeños (es decir, se estudiaron muy pocos sujetos) y los participantes no fueron seguidos a largo plazo. En otros estudios sobre adolescentes, mucho más grandes, la conducta de los padres solo se ha medido de forma retrospectiva y mediante cuestionarios.

En varios estudios, como el de Steinberg, los chicos cuyos padres son, según el cuestionario, autorizativos sacan mejores notas en la escuela o muestran otras diferencias más o menos objetivas. Es decir, tenemos pruebas de que esos cuestionarios miden, hasta cierto punto, el éxito escolar..., pero no tenemos pruebas de que realmente midan la actuación de los padres. Es como si, para comprobar la validez del cuestionario «¿Es usted alto?», en vez de medir la altura de los sujetos, hubiéramos medido su presión arterial, para concluir «los altos tienen la presión más baja». No, a ver, la explicación correcta sería «los que sacan buena puntuación en este cuestionario tienen la presión más baja, pero seguimos sin saber si son altos o no».

En cierto modo, esa correlación entre los cuestionarios de estilos parentales y las notas de los chicos se considera una prueba de que los cuestionarios son fiables. Pero eso constituye un pensamiento circular: ¿cómo sabemos que la teoría (de la primacía del estilo autorizativo) es cierta? Porque los cuestionarios lo confirman. ¿Cómo sabemos que los cuestionarios son fiables? Porque confirman la teoría.

Los estudios como el de Steinberg también están sometidos a otras posibles fuentes de error. Son retrospectivos, es decir, se pregunta «cómo te educaron tus padres» después (años después) de que sucediera la cosa. Los instrumentos de medida son, como hemos visto, poco precisos. El diseño no es experimental (no se dijo a unos padres «hagan esto» y a otros padres «hagan lo otro» para ver qué ocurría), sino que cada padre y madre hizo lo que pudo y supo. La asociación («los chicos con padres autorizativos sacaron mejores notas») no tiene por qué ser causal; podría deberse simplemente a la clase social, al nivel de estudios de los padres, al barrio en que viven..., incluso se podría argumentar una causalidad inversa: tal vez cuando los niños empiezan a sacar malas notas los padres reaccionan de dos maneras, unos riñendo y castigando y convirtiéndose en autoritarios; otros decidiendo que al fin y al cabo las notas no son tan importantes, que lo importante es que su hijo sea feliz, y por tanto convirtiéndose en permisivos. Tal vez los buenos estudiantes provocan una conducta autorizativa en sus padres: como ya estudia solo, no hace falta castigarlo ni gritarle; como se ha portado bien, lo trato con cariño; como es inteligente y habla con sentido, conversaré con él.

En 1981, Catherine Lewis planteó una crítica importante del modelo.[8] La insistencia de Baumrind en el «control firme» como característica importante de los buenos padres (autorizativos) va reñida, según Lewis, con la teoría psicológica de la atribución que afirma que tenemos más tendencia a hacer las cosas cuando atribuimos nuestra conducta a nuestros propios deseos (lo hago porque creo que es lo correcto, porque me gusta, porque tengo ganas de hacerlo...) que cuando la atribuimos a los deseos de otros (lo hago porque me lo han ordenado, porque me darán un premio, porque se enfadarán o me castigarán si no lo hago...). La obediencia a las órdenes no es lo mismo que la internalización (aceptar como propios los valores y ajustar a ellos la conducta incluso cuando no te lo ordenan). El exceso de presión resulta contraproducente, y cita como ejemplo un estudio previo sobre la resisten-

---

8. Lewis, C. C., «The effects of parental firm control: A reinterpretation of findings». *Psychological Bulletin*, 1981, 90, 547-563.
http://search.proquest.com/docview/614278024

cia a la tentación en niños pequeños: se les deja con un juguete, pero se les dice que no lo han de tocar. A un grupo el adulto experimentador les dice que si lo tocan, estará «un poco molesto», al otro grupo, «muy apenado y muy enfadado». Los que recibieron las *amenazas* más fuertes mostraron, tres semanas más tarde, menos autocontrol en otra situación experimental distinta. Más adelante volveremos a hablar de por qué los premios y castigos no suelen dar buenos resultados.

Los estilos parentales fueron inicialmente definidos por Baumrind de forma arbitraria. Dijo que eran tres, otros han dicho que son cuatro, podríamos haber definido una docena. Podríamos haber añadido o quitado puntos clave a la definición. Lewis reanaliza cuidadosamente varios estudios de Baumrind y de otros autores, y concluye que lo que se había considerado como control firme «es más la disposición del niño a obedecer que la tendencia de los padres a ejercer el control»; que podemos quitar «control firme» de la definición de los padres autorizativos, y seguimos obteniendo los mismos resultados. La verdadera clave del éxito está en la interacción verbal, en la experiencia de los niños que son capaces de discutir y modificar las reglas paternas.

En 1983 Baumrind publicó una respuesta a Lewis, en la que básicamente mantiene la importancia del control firme.[9] Aunque tal vez los comentarios y su propia observación de los padres «armoniosos» le moverían a modificar un poco su teoría inicial; en 1989 (citada por Darling y Steinberg, 1993) habla de padres democráticos, que serían parecidos a los autorizativos, pero que no

---

9. Baumrind, D., «Rejoinder to Lewis's reinterpretation of parental firm control effects: are authoritative families really harmonious?». *Psychological Bulletin*, 1983, 94, 132-142.
http://search.proquest.com/docview/614317543

ejercen tan claramente su autoridad. En otros documentos, diversos autores parecen usar los términos *autorizativos* y *democráticos* como sinónimos intercambiables.

Más tarde, en 1993, Darling y Steinberg (sí, el mismo Steinberg de antes) añaden otro punto importante: la distinción entre estilos parentales y prácticas parentales.[10]

El estilo autorizativo sería el más efectivo para transmitir a los hijos los valores e intereses de los padres. Pero esos valores e intereses producirán unas prácticas concretas, prácticas que son distintas de los estilos.

Por ejemplo, si los padres creen que es importante que el niño estudie y saque buenas notas, los autoritarios pueden recurrir a darle órdenes, gritarle, castigarlo si no hace los deberes..., mientras que los padres autorizativos podrían ayudarlo con los deberes, explicarle lo que no entiende, mostrarle su aprobación... Si los padres dan importancia a los estudios, los hijos de padres autorizativos tendrán mejores notas que los de padres autoritarios. Pero ¿y si los padres creen que los estudios son poco importantes, y dan prioridad al deporte, o a la música, o a las buenas acciones? Los padres autorizativos que crean que el deporte es más importante que el estudio tendrán prácticas distintas: no ayudarán a sus hijos con los deberes, sino que se esforzarán por llevarlos a los entrenamientos, por ir a animarlos en los partidos, por ver con ellos los espacios deportivos de la televisión y comentar las jugadas.

Y también podría ser, por supuesto, que con toda su buena voluntad los padres que tienen un buen estilo apliquen malas prácticas. Tal vez no tengan, por ejemplo, suficiente formación o suficiente tiempo para ayudar a sus hijos con los deberes.

---

10. Darling, N., Steinberg, L.; «Parenting style as context: an integrative model». *Psychological Bulletin*, 1993, 113, 487-496.
http://www.oberlin.edu/faculty/ndarling/lab/psychbull.pdf

La rehabilitación de la permisividad

Les prometí hablar de los investigadores que han encontrado que el estilo autorizativo no es necesariamente el mejor. Christopher Spera menciona varias de las diferencias que se han encontrado entre diversos países y grupos étnicos.[11] La misma Baumrind observó en 1972 que los niños y niñas blancos se vuelven temerosos y obedientes ante los padres autoritarios, pero que las niñas afroamericanas, en cambio, se vuelven asertivas. En otros estudios, los hijos de padres autorizativos sacaban mejores notas en las familias de raza blanca, pero no entre los afroamericanos, hispanos o asiáticos (residentes en Estados Unidos). En un estudio multinacional, los hijos de padres autoritarios sacaban peores notas en Estados Unidos, Australia y China, pero mejores notas en Hong Kong... y también en Estados Unidos y Australia cuando los padres tenían menos estudios.

Investigadores de la Facultad de Psicología de la Universidad de Valencia han estudiado la cuestión en España. Describiré con cierto detalle sus trabajos, puesto que son los que nos tocan más de cerca.

Ya en 2001 Musito y García habían encontrado que el estilo indulgente daba mejores resultados que el autorizativo. En 2004, publicaron los resultados de un estudio diseñado para comprobar aquellos primeros datos.[12] Encuestaron a casi cinco mil adoles-

---

11. Spera, C., «A review of the relationship among parenting practices, parenting styles, and adolescent school achievement». *Educational Psychology Review*, 2005, 17, 125-146.
http://www.sfu.ca/~jcnesbit/EDUC220/ThinkPaper/Spera2005.pdf
12. Musitu, G., García, J.F.; «Consecuencias de la socialización familiar en la cultura española». *Psicothema,* 2004, 16, 288-293.
http://www.psicothema.com/pdf/1196.pdf

centes, tanto en escuelas públicas como privadas. Contestaban a los cuestionarios en clase, de forma anónima. Para clasificar a los padres como autoritarios, autorizativos, negligentes o indulgentes, se tomaron solo los terciles inferior y superior de las escalas de exigencia y responsividad. Es decir, se eliminaron del estudio cinco de cada nueve adolescentes, y solo se tuvieron en cuenta los datos de las cuatro esquinas (así, fijándose solo en los casos más extremos, se pretende ver más claramente las diferencias entre los cuatro grupos):

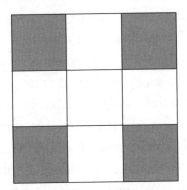

A cuatrocientos adolescentes de catorce a diecisiete años se les pasaron varios cuestionarios para conocer su autoconcepto (es decir, cómo se veían a sí mismos) en diversos aspectos (escolar, social, familiar, personal, moral...) y otro sobre el grado de comunicación con sus padres, con el que podían valorar, respecto a doce temas (televisión, estudios, amigos, drogas, sexualidad, política, religión...), a cada uno de sus padres por separado (no le hablo sobre este tema – le hablo, pero no me atiende – le hablo y me atiende, pero no intenta comprenderme – le hablo, me atiende, intenta ponerse en mi lugar, pero no nos entendemos – le hablo, me atiende, me comprende y nos entendemos).

A otros cuatro mil trescientos sesenta y nueve adolescentes de diez a dieciocho años se les pasó solo un cuestionario (distinto) sobre autoconcepto.

Resultado: los hijos de padres indulgentes (o, más exactamente, los hijos que consideraban indulgentes a sus padres) obtuvieron mejor puntuación que los demás grupos en todo. Los hijos de los autorizativos estaban solo en segundo lugar.

En 2009, Fernando García y Enrique Gracia, de la misma Universidad de Valencia, publicaron un tercer estudio[13] sobre mil cuatrocientos dieciséis adolescentes españoles (con los cuatro abuelos españoles) de doce a diecisiete años, alumnos de ocho escuelas distintas a los que también se pasaron varios cuestionarios. La responsividad se midió con la escala WAS *(Escala de calidez y afecto)*, previamente usada en cientos de estudios, con opciones como «Trata de ayudarme cuando estoy asustado o disgustado» o «Hablamos de nuestros planes y tiene en cuenta mi opinión». La exigencia se midió con la escala PCS *(Escala de control parental)*, con supuestos como «Cuando salgo de casa me indican exactamente a la hora que tengo que retirarme» o «Me encomiendan determinadas tareas y nunca me permiten hacer nada hasta que las he terminado». También aquí se examinaron solamente los terciles extremos, las «cuatro esquinas», dejando fuera del estudio a todos los que estaban en medio.

Mediante el cuestionario AF5 de treinta enunciados[14] se valoró el autoconcepto en cinco aspectos: académico (escolar), social, emocional, familiar y físico. Algunos ejemplos de enunciados:

- Consigo fácilmente amigos/as
- Soy muy criticado/a en casa
- Muchas cosas me ponen nerviosa/o

13. García, F., Gracia, E.; «Is always authoritative the optimum parenting style? Evidence from Spanish families». *Adolescence*, 2009, 44, 101-131.
http://www.uv.es/garpe/C_/A_/C_A_0037.pdf

14. García, F., Musitu, G.; *AF5: Autoconcepto Forma 5* (3.ª ed.). Tea, Madrid, 1997.
http://www.uv.es/lisis/gonzalo/12C_L_038.pdf

- Cuando los mayores me dicen algo me pongo nerviosa/o
- Mis padres me dan confianza
- Soy una persona atractiva

El ajuste personal se midió con la escala PAQ *(Cuestionario de evaluación de la personalidad)*, que analiza cómo se ven los chicos en seis aspectos: hostilidad/agresión, autoestima negativa, autoadecuación negativa, falta de respuesta emocional, inestabilidad emocional y visión negativa del mundo.

La competencia personal de los adolescentes se midió preguntándoles por sus notas, contando el número de cursos repetidos y mediante otro cuestionario en que tenían que elegir con quién se identificaban en frases del tipo «algunos adolescentes se sienten socialmente aceptados, pero otros querrían que más gente de su edad los aceptase».

Los adolescentes también informaron sobre sus posibles conductas problemáticas: consumo de alcohol, tabaco y otras drogas, faltas a la disciplina escolar como copiar o llegar tarde, o comportamientos delictivos como llevar un arma, robar o tener problemas con la policía.

Los que veían a sus padres como autorizativos o indulgentes tuvieron mejores puntuaciones en todos los aspectos que los hijos de padres autoritarios o negligentes. Y los indulgentes superaron a los autorizativos en casi todos los aspectos.

Los mismos autores publicaron otro estudio[15] en 2010, en el que pasaron los mismos cuestionarios a novecientos cuarenta y ocho estudiantes de entre diez y catorce años (también españoles por los cuatro costados) de once escuelas elegidas al azar en la

---

15. García, F., Gracia, E.; «¿Qué estilo de socialización parental es el idóneo en España? Un estudio con niños y adolescentes de 10 a 14 años». *Infancia y Aprendizaje*, 2010, 33, 365-384.
http://www.uv.es/~garpe/C_/A_/C_A_0041.pdf

provincia de Valencia. Esta vez la distinción entre exigentes/no exigentes y responsivos/no responsivos no se hizo por tercios, sino por mitades. Es decir, los autoritarios se definen como los que están por encima de la mediana en exigencia pero por debajo en responsividad; los indulgentes, los que están por debajo de la mediana en exigencia pero por encima en responsividad... Según explican los autores, otros estudios han demostrado que hacerlo así da los mismos resultados que hacerlo por terciles, pero son resultados más sólidos al estar basados en más sujetos; ya no hace falta excluir a más de la mitad de las familias por no ser «ni chicha ni limoná». De nuevo, «los resultados indicaron que el estilo familiar idóneo en España es el indulgente».

Por último, otra investigadora de la Universidad de Valencia, Petra María Pérez, publicó en 2012 un estudio[16] (el que yo vi comentado en los periódicos) sobre niños de seis a catorce años, con un método muy distinto a los anteriores. Esta vez no se entrevistó a los niños, sino a los padres; no se escogieron escuelas de Valencia, sino hogares de toda España, al azar, y el cuestionario no era autoadministrado, sino que un encuestador profesional visitaba cada hogar y leía las preguntas. Se comprenderá que se trata de un estudio mucho más difícil (y caro) de realizar.

Entrevistaron a mil ciento treinta padres y madres de toda España (había tres madres por cada padre). La responsividad (a la que en este estudio llaman *aceptación/implicación*) se midió con la escala PAC/Q, *Cuestionario de aceptación-rechazo/control parental*, con supuestos como «en general, estoy satisfecho de mi familia» y «estamos tan ocupados que no tenemos tiempo para los niños». La exigencia (a la que llaman *severidad/imposición*) se midió con la escala PCS *(Escala de control parental)*, con opcio-

---

16. Pérez Alonso-Geta, P. M., «La socialización parental en padres españoles con hijos de 6 a 14 años». *Psicothema*, 2012, 24, 371-376.
http://www.psicothema.com/pdf/4025.pdf

nes como «intervengo en casi todas sus cosas: ropa, amigos, estudios...» y «los acostumbro a que deben obedecer y seguir las normas que ponemos aunque no entiendan por qué hacemos algo». Ambos son cuestionarios previamente usados en otros estudios, sobre todo norteamericanos. El punto de corte se situó, una vez más, en la mediana, lo que divide a los padres en cuatro grupos de tamaño muy similar.

A continuación se pedía a los padres que clasificasen a sus hijos (también con cuestionarios usados previamente por otros investigadores) según seis criterios de relación interpersonal, nueve criterios de ajuste psicológico, siete de competencia personal y doce de problemas conductuales. En general, los autorizativos y los indulgentes obtenían mejor puntuación que los otros dos grupos, y en muchos aspectos los indulgentes salían mejor parados que los autorizativos. La autora concluye que «en España, el estilo idóneo de socialización es el indulgente».

Otros estudios en Italia, Portugal y algunos países suramericanos también han encontrado que los hijos de padres indulgentes se desenvuelven mejor. En algunas poblaciones asiáticas o de origen asiático, en cambio, parecen obtener mejores resultados los padres autoritarios. Se han propuesto varias explicaciones para estas diferencias.

Tal vez la familia prepara al niño para el tipo de escuela y de sociedad que se va a encontrar. Los padres anglosajones de clase media envían a sus hijos a escuelas cuyos profesores son en general autorizativos. Pero allí donde las escuelas siguen patrones autoritarios, o permisivos, los niños criados del mismo modo pueden partir con cierta ventaja.

El psicólogo Harry Triandis distingue cuatro tipos de culturas, según sean individualistas (dan más importancia a la persona) o colectivistas (dan más importancia al grupo) y horizontales (favorecen la igualdad) o verticales (favorecen la jerarquía). García y Gracia explican que la sociedad norteamericana es individualista vertical, y que algunas sociedades asiáticas son colectivistas verticales, mientras que España, Italia, México o Brasil serían sociedades colectivistas horizontales. Los niños criados de distinto modo tendría más o menos éxito en cada tipo de cultura.

Yo añadiría otras posibles explicaciones para los diferentes resultados de los estudios.

Primero, la decisión arbitraria de poner el punto de corte en la mediana (o en los terciles) hace que unos estudios no sean en absoluto comparables con otros. Siempre, en cualquiera de los estudios, los cuatro grupos de padres son más o menos del mismo tamaño. Podríamos hacer el estudio en una secta de fanáticos fundamentalistas ultraconservadores, y seguiríamos definiendo a la cuarta parte de los padres como «permisivos». Podríamos hacer el estudio en una comuna *hippy*, y seguiríamos definiendo a la cuarta parte de los padres como «autoritarios». Estamos comparando, en el mejor de los casos, a los padres que en una sociedad dada tienen tendencia a ser «algo más autoritarios» o «algo más permisivos» que sus vecinos, pero podría darse el caso de que los padres «permisivos» del país A fueran en realidad más autoritarios que los padres «autoritarios» del país B.

Segundo, los cuestionarios empleados para medir el estilo parental miden solo lo que miden. Opciones como «cuando salgo de casa me indican exactamente la hora a la que tengo que retirarme» pueden significar cosas muy distintas para distintas personas. Como decían Darling y Steinberg, hay que distinguir los estilos de las prácticas. El estilo puede ser «Adiós, cariño, que te diviertas. No te olvides de volver antes de las once, y si vas a retrasarte por cualquier cosa, llama», o bien «No sé ni por qué te dejo salir, porque siempre te portas como una irresponsable; te aseguro que como vuelvas otra vez más tarde de las once, te vas a enterar». Y la práctica podría ser «vuelve antes de las diez» o «vuelve antes de las dos de la madrugada». Pero los cuatro adolescentes dirían que sí, que les indican exactamente la hora, y sus padres serían, a efectos del estudio, igual de autoritarios. En cambio, si unos padres dicen «vuelve a las nueve o nueve y media», su hijo podría pensar que eso no es una hora exacta, y por tanto contestar que no, no le han dicho exactamente a qué hora tiene que volver, y esos padres serían, según esa pregunta, permisivos, mientras que otros que dan una hora exacta, «vuelve a las 12», serían autoritarios, a pesar de que han dado a su hijo casi tres horas más de margen.

Y cuando un padre contesta sí, «intervengo en casi todas sus cosas: ropa, amigos, estudios...», ¿quiere decir (como parecen pensar los autores del cuestionario) que es muy controlador, que le prohíbe vestir de determinada manera, que supervisa a sus amigos y le prohíbe salir con fulanito o menganita, que lo castiga si saca malas notas? ¿O tal vez quiere decir que lo acompaña a comprar la ropa (¡eran niños de seis a catorce años!) y que se la lava y se la plancha, que prepara una buena merienda cuando invita a sus amigos a casa, que lo ayuda con los deberes y asiste a las reuniones de la escuela? Dos padres que viven en el mismo edificio y contestan igual a la pregunta pueden en realidad estar haciendo cosas muy distintas. Y si los padres viven en países distintos, o pertenecen a distintas clases sociales...

Tercero, a fin de cuentas, las diferencias encontradas son bastante pequeñas. Tirando a muy pequeñas. No siempre es fácil para el profano (como yo) valorar si sacar en una cierta prueba psicológica una puntuación de 2,93 o de 3,19 es realmente importante. El mismo Steinberg, en el estudio de 1991 antes citado, explica que «Nuestros hallazgos indican que los efectos de la autorizatividad, aunque estadísticamente significativos, son pequeños en magnitud».

En el estudio de Petra María Pérez, las diferencias también parecen bastante pequeñas. Por ejemplo, sobre una escala del 1 al 7, y comparando en cada caso los dos grupos con los valores más diferentes:

- La relación con el hijo alcanza una «nota» de 6,44 para los padres negligentes, y de 6,81 para los indulgentes.

- La relación con los hermanos, 4,99 para los autoritarios y 5,47 para los indulgentes.

Y sobre una escala del 1 al 5:

- «Me cuenta sus cosas personales por propia iniciativa»: 3,45 los negligentes, 3,88 los indulgentes.
- «Es buen estudiante»: 3,74 los autoritarios, 4,03 los autorizativos.
- «Es agresivo y violento»: 1,08 los indulgentes, 1,46 los negligentes.

Y así sucesivamente. Otra manera de comparar es ver cómo se solapan los distintos grupos. La autora da la media y la desviación típica (estándar) de cada medida. En una distribución normal (que no tiene por qué serlo, *normal* es un término estadístico que no significa en absoluto que lo normal sea ser «normal»), aproximadamente el 68 % de la gente está entre menos una y más una desviación típica, y aproximadamente el 95 % está entre menos dos y más dos. Centrándonos en la pregunta «es agresivo y violento»: Los indulgentes tienen una desviación típica de 0,33. Es decir, el 68 % de los hijos de pádres indulgentes tienen una «nota» en agresividad entre 0,75 y 1,41 (sobre un máximo de 5). La desviación típica de los negligentes es de 0,84; el 68 % están entre 0,62 y 2,30. Hay muchos hijos de padres negligentes que son menos agresivos que muchos hijos de padres indulgentes. Y recordemos que estamos hablando de niños normales de seis a catorce años que van a la escuela, el que uno sea un poco más agresivo que otro no significa que sea un criminal ni mucho menos.

¿Qué hemos descubierto en este largo viaje? Partíamos de las advertencias, un poco preocupantes, que hacían algunas páginas de Internet (y seguro que algunos de nuestros lectores han oído advertencias semejantes, más o menos modificadas por la tradición oral, de profesionales sanitarios, educadores, familiares o amigos). ¿Qué queda de todo aquello? ¿Qué hay de los «adolescentes difíciles que transgreden las normas sociales en busca de límites externos», hijos de padres permisivos, o de los hijos de padres autoritarios, que «muestran cambios de humor, agresión y problemas de conducta»?

Pues prácticamente nada:

- Las definiciones de los estilos parentales son demasiado vagas, cambian con el tiempo, son discutidas por distintos expertos.
- Las ventajas del estilo autorizativo no son universales, dependen del país y de la clase social. Y ya sería hora de que los autores de libros y páginas web españoles se enterasen de que en España el estilo permisivo/indulgente parece (¡parece...!) funcionar mejor que el autorizativo.
- Las diferencias en el resultado final son discutibles y en todo caso bastante pequeñas. No sabemos cómo va a salir un niño. No sabemos cuál va a aprobar y cuál va a suspender, no sabemos cuál va a tener problemas psicológicos o cuál va a meterse en la droga o en una banda. Como mucho puede haber un pequeño aumento en la tendencia a ser de una manera u otra. Y otros factores, como el haber vivido en determinado barrio o pertenecer a cierta clase social, probablemente influyen más en el destino final del niño que el estilo de crianza de sus padres.
- En todo caso, ser autorizativo o permisivo no tiene nada que ver con cogerlos o no cogerlos en brazos, con dejarlos llorar por la noche o no, con darles pecho o no dárselo. Ninguna de las definiciones, ninguno de los estudios, ninguna de las escalas de medición hablan de esas cosas. Incluso suponiendo que ser permisivo fuera «malo» (que ya vemos que no lo es), podría seguir usted llevando a su hijo en brazos todo lo que quiera, porque eso no es ser permisivo.

- Pero, ahora que sabemos que en España ser permisivo es «bueno» (aunque solo sea un poquito), recuerde que ser permisivo es otra cosa. Que el haber dado el pecho mucho tiempo o haber practicado el colecho no confieren ningún título de «padre permisivo». Que los padres autoritarios también pueden dar el pecho y también pueden practicar el colecho, y si lo que quiere usted es ser permisivo, tendrá que esforzarse un poco más. Tendrá que respetar a su hijo como persona, razonar sus órdenes y no imponerse con gritos y amenazas. Tendrá que aprender a ceder, y no ponerle condiciones a su cariño.

Ya habíamos comentado anteriormente que una de la opciones es negar la mayor, negar que nuestra forma de criar a los hijos tenga que adaptarse a una serie de estudios científicos.

¿Le sorprende que precisamente un médico, un científico, diga que no hay que seguir lo que dicen los estudios científicos? Bueno, justo ayer leí en la prensa la noticia de que «los eunucos son más longevos que el resto de los hombres», según un estudio publicado en *Current Biology* (http://www.europapress.es/salud/noticia-eunucos-son-mas-longevos-resto-hombres-20120925102315.html). Hágase cortar los *cataplines*, y vivirá más años, lo dice la ciencia. ¿Algún voluntario?

¿Por qué no se convierten los estilos parentales en «estilos conyugales»? (algunos autores han clasificado *estilos conyugales*, pero son muy distintos y se habla mucho menos del tema). ¿Por qué no nos dicen cómo tenemos que tratar a nuestra esposa o marido para obtener los resultados deseados? ¿Hay maridos autorizativos, que tratan a sus esposas con mucha exigencia pero también con mucho afecto? ¿Son las esposas de los maridos autorizativos las que tienen más autoestima y menos problemas de conducta, las que presentan menos adicciones, las que ganan más dinero y hacen más tareas domésticas? (¿Le parece machista? Acabamos de ver decenas de estudios científicos que juzgan el grado de «adaptación» y «madurez» de un niño o adolescente por sus notas y por su grado de colaboración en las tareas domésticas. ¿Por qué no podemos juzgar a los adultos con los mismos criterios?). Por supuesto, también vale al revés. Las esposas permisivas acaban convirtiendo a sus maridos en cincuentones «difíciles, que transgreden las normas sociales». Hay que poner límites y normas, para ser una esposa autorizativa...

Tratar a mis hijos de una manera u otra con el fin de obtener un resultado, «seré autorizativo (en España, «seré indulgente») para que saque mejores notas y no tome tanto alcohol cuando sea mayor», me parece inmoral. Como tratar con cariño a mi esposa para que me planche las camisas. Trato con cariño y respeto a mi esposa y a mis hijos porque los quiero y porque es así como deseo tratarlos, y no necesito que ningún psicólogo me diga cuáles van a ser las consecuencias a largo plazo. (Consecuencias que, además, en el caso de los hijos, ya hemos visto que son bastante inciertas... y en el caso de las esposas y maridos, ni siquiera se han empezado a estudiar).

Por supuesto, si algún estudio serio demostrase que hay una forma de contar cuentos que es mejor que otra, o una manera de ayudar con los deberes que es mejor que otra, yo intentaría con mi mejor voluntad hacerlo bien. Pero lo que no voy a hacer es actuar contra mis principios, hacerles a mis hijos cosas que creo que no se han de hacer, solo porque un experto las recomiende.

Curiosamente, al plantear así las cosas no hago más que volver a la etapa anterior a Baumrind. A mi propia infancia, pues yo tenía ya seis años cuando Baumrind publicó su famoso artículo en que por primera vez describía los tres estilos parentales. Así lo explicaba ella en 1966:

Las prácticas adoptadas por los padres norteamericanos para influir sobre las acciones y el carácter de sus hijos han variado con el tiempo, con la opinión predominante de que el niño es un salvaje indomable, un adulto en miniatura o un angelical regalo del cielo. Estas convicciones se han basado en su mayor parte en valores humanísticos o religiosos y no en hallazgos científicos.

Pues bien, creo que ya es hora de devolver la crianza de nuestros hijos al campo del humanismo y la ética, de donde nunca debió salir.

La autoridad

La autoridad, la disciplina, las normas, los castigos... son temas que preocupan a muchos padres. Algunos casi se muestran asustados. Parecen creer (parece que les han hecho creer) que sus hijos los acechan esperando una oportunidad, dispuestos a tomarles el pelo, manipularlos y salirse con la suya.

Más de una vez me han preguntado: «Pero, si no la castigo, ¿cómo le haré entender las cosas?». Bueno, yo probaría a hablar con ella.

Regalado y colaboradores publicaron en 2004 los resultados de una encuesta telefónica a algo más de dos mil padres (bueno, la mayoría eran madres) norteamericanos, representativos de todo el país.[1] La pregunta clave era: «Voy a leer una lista de métodos de disciplina que los padres podrían usar con niños de la edad del suyo. Para cada uno, dígame, por favor, si usa ese método a menudo, a veces, raramente o nunca con su hijo». A los padres de los niños de menos de dieciocho meses solo se les pre-

1. Regalado, M., Sareen, H., Inkelas, M., Wissow, L. S., Halfon, N.; «Parents' discipline of young children: results from the National Survey of Early Childhood Health». *Pediatrics*, 2004, 113, 1952-1958.
http://pediatrics.aappublications.org/content/113/Supplement_5/1952.full.pdf

guntaba por dos métodos: gritar y pegar. Para los padres de niños de entre diecinueve y treinta y cinco meses, los posibles «métodos disciplinarios» eran gritar, pegar, quitarle un juguete, tiempo de exclusión (lo de «al rincón» o «a la silla a pensar») o explicarle las cosas. Afortunadamente, el método más usado resultó ser el de explicar las cosas. Pero, entre el año y medio y los tres años, el 17 % de los padres encuestados gritaba a menudo y el 50 % a veces; el 2 % pegaba a menudo y el 24 % a veces. Un 13 % gritaba y un 2 % pegaba (a veces) a niños de entre cuatro y nueve meses.

¡Pegar a niños de menos de tres años porque se han «portado mal»! ¡Gritar a bebés de meses! ¿Qué puede hacer «mal» un bebé que ni habla ni camina? Y eso es lo que la gente confiesa, de buenas a primeras, a un desconocido que llama por teléfono; ¿cómo será la realidad?

Desde los primeros estudios, hace más de sesenta años, se ha observado repetidamente que los niños sometidos a más rígida disciplina no son los que más obedecen, sino todo lo contrario. Los gritos y castigos, y especialmente los bofetones, no solo son inmorales, sino ineficaces y contraproducentes.

La mayoría de esos estudios están hechos en Norteamérica. Elizabeth Gershoff, de la Universidad de Texas, quiso comprobar si los resultados eran extrapolables a otros países.[2] Entrevistaron a doscientas noventa y dos madres y sus hijos de ocho a doce años en China, India, Italia, Kenia, Filipinas y Tailandia. Les pregun-

---

2. Gershoff, E. T., Grogan-Kaylor, A., Lansford, J. E., Chang, L., Zelli, A., Deater-Deckard, K., Dodge, K. A.; «Parent discipline practices in an international sample: associations with child behaviors and moderation by perceived normativeness». *Child Dev,* 2010, 81, 487-502.

www.ncbi.nlm.nih.gov/pmc/articles/PMC2888480/pdf/nihms-198378.pdf

taban, tanto a los hijos como a las madres, con qué frecuencia usaban once posibles métodos disciplinarios.

Encontraron que castigar físicamente, expresar decepción y gritar se asociaban con más agresividad en los niños. El tiempo de exclusión, el castigo físico, la expresión de decepción y el avergonzar al niño se asociaban con mayores síntomas de ansiedad infantil. Los efectos se atenuaban cuando el niño pensaba que la conducta de su madre era «normal» (digamos que al niño no le duele tanto que le griten si piensa que todos los padres gritan). Los otros seis métodos que no se asociaron ni con agresividad ni con ansiedad (lo que no quiere decir que no puedan tener otras desventajas) fueron: decirle lo que está bien y lo que está mal, hacer que pida perdón, quitarle privilegios, retirar el cariño al que se porta mal, amenazar con el castigo y prometer un premio o privilegio.

Existiendo un método disciplinario tan sencillo como «decirle lo que está bien y lo que está mal», siempre me pregunto para qué querrá alguien usar los otros diez métodos. Pero bueno, ahora al menos sabe usted que decirle a un niño lo que está bien y lo que está mal es un método de disciplina internacionalmente reconocido y científicamente probado. Al próximo que le venga con aquello de «lo consientes demasiado, lo que necesita este niño es disciplina» puede usted contestarle con aplomo «¡pero si ya le impongo disciplina!, ¡todos los días!».

La autoridad de los padres

Los padres tienen autoridad sobre sus hijos. Es una autoridad natural, inevitable e irrenunciable. Tenemos autoridad porque somos más grandes y más fuertes, más viejos y más sabios (al menos, hasta llegar a cierta edad, somos más sabios; y siempre, siempre, seremos más viejos), tenemos más experiencia y conocimientos y por tanto sabemos mejor lo que hay que hacer en cada momento. Y, sobre todo, tenemos autoridad porque nuestros hijos nos quieren con locura y están deseando obedecer. Los niños pequeños no tienen ni fuerza, ni experiencia, ni conocimientos. Muchas cosas les asustan, otras les sorprenden, la mayoría de las veces no saben cómo conseguir lo que quieren, y muchas veces ni siquiera saben qué quieren. Tememos que nos intenten dominar, cuando en realidad lo último que quieren es dominarnos. Tal vez a algunas personas (y no a la mayoría, desde luego) les gustaría mandar en la empresa, en el ejército, en la política..., pero ¿en la familia? Mandar en una familia es como ser presidente de la escalera: te toca por turno, porque nadie se presenta voluntario.

A nuestros hijos les gusta, por supuesto, como a todo el mundo, salirse con la suya de vez en cuando. Pero no quieren mandar. No quieren dar ningún golpe de Estado, no quieren convertirse en tiranos, ni siquiera en «pequeños tiranos». Demasiados quebraderos de cabeza. En general, están muy contentos de que sus padres, a los que consideran (provisionalmente) muy fuertes y muy inteligentes, tomen las decisiones.

Los niños pequeños están deseando obedecer a sus padres.

Lo veo frecuentemente en la consulta. Me acerco al bebé con intención de auscultarlo o tocarle la barriga, le sonrío, le digo cositas... El bebé mira preocupado a su madre, esta sonríe y dice unas palabras de aliento: «¡Sí, es el doctor, te va a tocar la tripita...!» y entonces el bebé me mira a mí, se relaja, tal vez sonríe si tiene edad suficiente, y se deja tocar sin rechistar. Acaba de pedir permiso, acaba de solicitar instrucciones: «Mamá, ¿puedo dejar que me toque este señor?». Si en vez de un pediatra yo fuera un perro grande o un asesino en serie, la expresión de la madre habría sido muy distinta, y el niño se habría echado a llorar. (Importante: esto solo es válido para bebés pequeños. A partir de más o menos los nueve meses, y hasta los dos o tres años, muchos niños lloran desesperados en la consulta del médico, por más que sus padres intenten tranquilizarlos. Cosas de la edad).

Todos tenemos autoridad

En realidad, todos los seres humanos tenemos autoridad sobre otros seres humanos. Solamente hay que saber dar la orden de la forma adecuada.

«¿Tiene hora, por favor?» es una orden muy efectiva; cualquier desconocido se detiene en medio de la calle, deja lo que esté haciendo, mira el reloj y nos dice la hora. Si diéramos la orden de otra manera, «¡Pero tú estás tonto o qué! ¡Te he dicho veinte veces que me digas la hora!», ¿cree que sería igual de efectiva?

Los camareros se pasan el día dando órdenes: «Por aquí, por favor», «Tenga la bondad», «¿Qué desea para beber?»..., y el cliente, aunque sea el presidente de un banco, obedece sin rechistar, camina hacia donde le dicen, se sienta donde le indican, nombra su bebida preferida. Si el camarero dijese: «¡Quítese de ahí, que no deja pasar!», «¡Que se siente de una vez, le digo!», «¿Piensa el señor pedir la bebida de una puñetera vez, que no tenemos toda la tarde?», los clientes más tímidos tal vez obedecerían para evitar una escena, jurándose no volver jamás, y los más animosos se irían inmediatamente del restaurante.

Y, sin embargo, cuántos padres hablan habitualmente a sus hijos en un tono y con unos modales que provocarían airadas protestas en cualquier adulto. Nuestros hijos nos quieren tanto que con frecuencia soportan nuestras impertinencias; pero eso no significa que no podamos hacerlo mejor.

Acabo de contemplar una escena en plena calle. Un padre empujaba un cochecito con un bebé. Delante caminaba, alegre, una niña de unos siete años. Pasaron por entre los hierros de un andamio instalado para pintar una fachada. Aparentemente (yo no lo vi) la niña rozó uno de los hierros. Y entonces el padre empezó a gritar a pleno pulmón:

—¡Ya está, ya te has tenido que ensuciar! ¿No ves que esto está asqueroso? —Y después de una pausa dramática—: ¿En qué estás tú pensando, es que te tienes que arrimar siempre a todo lo que está sucio?

Todo esto a grito pelado y con semblante agrio, mientras la pobre niña se miraba la manga del abrigo y seguía caminando en silencio. Y digo yo: ¿no podría haber dicho simplemente, sin levantar la voz, «cuidado con ese hierro, que está sucio»? (suponiendo que hiciese falta decir algo, que a mí el hierro no me pareció particularmente sucio, y la niña tampoco llevaba el vestido de primera comunión).

¿Qué es lo que lleva a algunos padres a perder los papeles de ese modo? ¿Estará de mal humor por otro motivo, habrá discutido con su pareja o le habrán despedido del trabajo, y lo está pagando con la niña? ¿Será que la niña ha cometido en la última hora varias graves tropelías (como pegar a su hermanito o algo realmente gordo) y solo vemos la gota que colma el vaso, la nimiedad que agota la paciencia paterna? ¿Se trata de un episodio aislado, o es esta la forma habitual de comunicación en esta familia? (yo soy de los que intentan disimular y causar buena impresión delante de extraños, así que cuando veo a alguien comportarse así en público no puedo evitar pensar qué harán en su casa...). ¿Tal vez a este padre lo trataron también a gritos cuando era niño, y le parece que eso es lo normal, no concibe tratar a su hija de otra forma? ¿O acaso es una persona iracunda, y esa es su forma habitual de tratar a todo el mundo?

No, esta última opción es prácticamente imposible. Nadie (o casi nadie) trata tan mal a todo el mundo. Hay en el mundo gente poco respetuosa y maleducada, gente agresiva y ofensiva, pero casi nadie trata así a los amigos o a los compañeros de trabajo. A veces reservamos nuestros gritos, nuestros insultos y nuestro mal humor para la familia más cercana, y especialmente para nuestros hijos.

Para quienes fueron criados a gritos (e incluso a golpes) puede ser difícil aprender a tratar a los hijos de otra manera. Hay que esforzarse. Hay que tomar desde el primer día la firme resolución de hablar a nuestros hijos con respeto, de darles información o instrucciones con educación, de reñirlos cuando sea necesario sin acritud (decirle a un niño «cuidado, no toques eso, que se rompe», decírselo con tono amable y con una sonrisa en los labios, ya es reñirlo. No hace falta hacer nada más). Y como tampoco se puede cambiar de la noche a la mañana, tal vez tendríamos que esforzarnos, desde mucho antes de tener hijos, por tratar con respeto a todo el mundo. A nuestro cónyuge y a nuestros familiares. A vendedores y camareros. A vecinos y desconocidos. Incluso a los ausentes.

Cuando el semáforo se pone verde, en vez de correr a tocar la bocina y gritar «¡Muévete de una vez!», podríamos comentar filosóficamente «¡Vaya, el de delante se ha despistado!». Cuando vemos el partido por la tele, en vez de apostrofar al árbitro «¿Estás ciego o es que eres imbécil?», limitémonos a dar nuestra opinión, «Pues a mí me ha parecido que estaba en fuera de juego». Acordémonos de demostrar nuestro amor a nuestra pareja, sin esperar a que los anuncios de la tele nos recuerden que viene San Valentín. Acostumbrémonos a pedir las cosas por favor, a dar las gracias, a sonreír... Nuestra vida será más feliz (y probablemente también más larga y saludable), y para cuando tengamos niños el respeto ya nos saldrá natural. Estaremos, además, dando un excelente ejemplo a nuestros propios hijos, enseñándoles la manera adecuada de comportarse en sociedad.

La autoridad se gasta

No era mi madre una de esas abuelas pesadas que se dedican todo el rato a dar órdenes, indicaciones y sugerencias a los padres (y en muchos casos, la distinción entre «órdenes» y «sugerencias» es puramente semántica), y a distribuir generosamente críticas y consejos no solicitados.

En realidad, probablemente solo me dio un consejo sobre la crianza de mis hijos. Y me lo dio tan bien que tardé casi veinte años en darme cuenta de que había recibido un consejo, y en darme cuenta de que lo había estado siguiendo, de que ese consejo había cambiado mi forma de ser padre y modelado los libros que más tarde he escrito.

Sucedió cuando vino por primera vez a ver a nuestro primer hijo al hospital. Al entrar, tras los saludos y parabienes de rigor, nos comentó un suceso:

—En el pasillo del hospital había una niña de unos siete años, corriendo y pasando el dedo por las paredes, como suelen hacer los niños, para notar el tic tic tic en las junturas de las baldosas. Y sus padres no hacían más que gritarle y amenazarla para que se estuviera quieta. ¿Qué creen, que a los quince años va a seguir corriendo y tocando las baldosas?

No solo me dio una orden (que se podría traducir como «no riñas nunca a este nieto mío por cosas sin importancia, como tocar las baldosas»), sino que me la dio con tanta eficacia que, sin notar que era una orden, la recordé y obedecí durante décadas. Para conseguirlo, no me gritó ni me amenazó («como riñas a este niño, te vas a enterar»), ni recurrió al tono épico-paternal («hijo mío, tengo que decirte algo muy importante, algo que espero que atesores en tu corazón en los días venideros»), ni me ofreció un premio. Simplemente lo dejó caer, porque los hijos están deseando obedecer a sus padres, y las personas en general tienden a obedecer cualquier sugerencia que parezca razonable.

Solo espero ser, llegado el día, un abuelo tan poco pesado como mi madre. Sé que me va a costar horrores. Tal vez a ella, ahora que lo pienso, también le costó. Gracias.

No podemos reñir a nuestros hijos por cosas sin importancia (o imponer nuestra autoridad en cosas sin importancia), en primer lugar porque no es razonable; en segundo lugar, porque resulta indigno (para el que da las órdenes, no para el que las obedece. No nos engañemos, es el marimandón el que está haciendo el ridículo); en tercer lugar, porque al hacerlo perdemos autoridad.

Y es que la autoridad es un poco como el dinero: sirve para conseguir muchas cosas, pero cuanto más gastas, menos te queda. Lo saben muy bien los que gobiernan: no se dedican a dar órdenes sin ton ni son, a controlar cada aspecto de nuestra vida. Legislan sobre lo que les parece realmente importante, y de lo demás, que cada cual haga lo que le dé la gana. Muchos padres malgastan su autoridad en asuntos que no tienen ninguna importancia, intentando prohibir o mandar cosas que ni el más sanguinario de los tiranos se molestaría en prohibir o en mandar: que no te metas el dedo en la nariz, que no toques las paredes, que te sientes recto en la silla, que te acabes la verdurita... A veces es una corriente continua de órdenes y prohibiciones que se convierte en la música de fondo de la vida del niño durante años. ¿Cómo va el niño a distinguir, entre esa avalancha de órdenes absurdas, pronunciadas sin esperanza siquiera de obediencia, alguna un poco más importante que las otras, como «haz los deberes» o «no juegues con el encendedor»? Otras veces, las órdenes banales van acompañadas de amenazas tan vagas o tan desproporcionadas que todos saben que no se pueden cumplir: «te vas a enterar», «verás como te pille», «mira que te pego», «pues ahora no cenas», «verás cuando llegue tu padre»... Por último, algunos padres especialmente irascibles consiguen cumplir alguna de esa amenazas, consiguen gritar, castigar e incluso abofetear a un niño por banalidades sin ninguna importancia. Si la pena por no abrocharse el cinturón de seguridad fueran veinte años de cárcel, ¿no le parece que, ya puestos, sería mejor atracar un banco? Las penas desproporcionadas suelen incentivar la delincuencia en vez de reducirla.

Recuerdo haber tomado la decisión consciente, poco después de ser padre (y tal vez influido por el sutil consejo de mi madre), de no gritar a mis hijos más que por motivos realmente graves. «Si algún día —pensé— veo a mi hijo a punto de abrir el gas, o de tirarse por la ventana, o de meterse delante de un coche, lógicamente tendré que gritar "¡noooo!", esperando que se detenga al instante. Pero si está acostumbrado a que le grite "¡noooo!" cada vez que se toca la nariz, pisa un charco o pintarrajea un papel, llegará un momento en que no hará ni caso. Seguirá caminando tan tranquilo, y le puede pillar un coche». Creo que aquella elemental medida de seguridad nos ha ahorrado muchas peleas domésticas. Porque el caso es que mis hijos nunca han intentado abrir el gas, saltar por la ventana ni tirarse delante de un coche, de modo que si alguna vez les he gritado, pobrecitos, ha sido sin motivo.

Los niños no aprenden a la primera

Los adultos tampoco, desde luego. Pero en los niños es particularmente evidente.

Y sin embargo, muchos padres parecen esperar ese milagro. «Le digo que no lo toque, pero lo toca igual», me dicen, entre indignados y sorprendidos, los padres de niños de dos o tres años, como si la cosa más normal del mundo fuera decir una vez «no lo toques» y que no lo tocase nunca más.

Y cuando un ayuntamiento dice «no estacionen aquí», ¿cuántas veces tienen que repetirlo? Tienen que poner una señal que está allí permanentemente colocada para que la gente la vea cada día, y además tienen que pintar de amarillo el bordillo de la acera, y además el policía pasa de vez en cuando y pone multas, y a pesar de eso la gente estaciona en lugar prohibido, y a veces hasta en doble fila.

Los niños necesitan repetir muchas veces una cosa para aprenderla. Haga memoria, ¿qué datos y qué conocimientos recuerda usted de lo que aprendió en la escuela? Asumo que todos mis lectores saben multiplicar y dividir con bastante seguridad. ¿Cuántas multiplicaciones tuvo que hacer? En clase, en los deberes para casa, durante años, y más tarde problemas más complejos pero en los que al final había que hacer también alguna operación. Probablemente hizo usted varios cientos de multiplicaciones. En mis tiempos, sin calculadora, hacíamos miles.

Tuvo que hacer varios cientos de multiplicaciones para aprender a multiplicar. Ningún maestro de primaria esperaría explicar una sola vez la multiplicación y que los niños aprendan. Sabe que tendrá que insistir un día tras otro, un año tras otro. Si los niños aprendieran las cosas a la primera, todo el temario de todos los cursos de primaria se podría estudiar en un mes.

Y ahora, ¿cuántos de mis lectores serían capaces de calcular la raíz cuadrada de 3128,738, o de despejar un sistema de ecuaciones, o de trabajar con cosenos y logaritmos, o de recitar los gases nobles o los afluentes del Duero por la derecha? Las cosas que repetimos menos de doscientas veces, las hemos olvidado casi todas.

«Me mira y lo vuelve a hacer»

Como consecuencia de su necesidad de repetir para aprender, los niños incurren a menudo en una actividad que, no sé por qué, enfurece a algunos padres: repetir una y otra vez lo que le han prohibido hacer, digamos tirar comida o un juguete al suelo, al tiempo que mira a su madre o padre a los ojos y sonríe. Según qué padre lo explique, se trata de una sonrisa «pícara» o «desafiante», o incluso «de triunfo». Esta conducta se ha descrito a veces como «probar los límites», «tomarte el pelo» o incluso «buscar una bofetada» (como si alguien en su sano juicio pudiera buscar una cosa así). Creo que en realidad el niño solo está experimentando.

Los niños son científicos natos. Lo encontrará muy bien explicado en el libro *El filósofo entre pañales*, de Alison Gopnik.[3] Si

3. Gopnik, A., *El filósofo entre pañales*. Temas de Hoy, Madrid, 2010.

se para a pensar, los niños pequeños tienen que aprender muchísimas cosas.

De las cosas que estudiamos en la escuela, decíamos, no recordamos casi nada. En la vida cotidiana, de todo lo aprendido en la escuela, apenas necesitamos leer, escribir y las cuatro reglas. Pero hay un montón de cosas que sí que necesitamos hacer cada día: abrir una puerta, beber de un vaso, hablar, relacionarnos en sociedad... Cosas que aprendimos fuera de la escuela (o al menos fuera de las lecciones y de los libros), y muchas veces antes de empezar la escuela. Para hacer actividades tan sencillas como levantarme de la silla o caminar necesito contraer simultánea o secuencialmente, con una fuerza y amplitud exactamente medidas, una (¿o dos?) docenas de músculos que no sé ni dónde están ni cómo se llaman, y eso que soy médico. Y no es que lo haya olvidado, es que nunca lo he sabido, estoy seguro de que el día en que aprobé mi examen de anatomía habría sido incapaz de escribir la lista completa de los músculos que hay que contraer para levantarse de una silla. Un pequeño error en cualquiera de esos músculos, y trastabillamos; dos o tres errores, y nos caemos al suelo. Y sin embargo antes de los dos años, tras ímprobos esfuerzos e incontables repeticiones, cualquier niño es capaz de caminar o levantarse de una silla a la perfección, y también de ir de puntillas, de talones, a la pata coja...

Y con el mismo entusiasmo intentan los niños aprender lo que está bien y lo que está mal, lo que se puede y lo que no se puede hacer. No es tan sencillo. Nuestras órdenes a menudo son contradictorias, o poco claras, o están llenas de excepciones. Le decimos que no pise los charcos, y luego lo llevamos a la playa para que pise el mayor charco de todos. Nos enfadamos porque rompe el periódico que aún no hemos leído, pero le damos el periódico de ayer para que lo rompa. Le dejamos pintarrajear en un papel (una circular publicitaria), pero pegamos un grito si intenta dibujar en otro papel muy similar (la paga y señal del coche). Cuando tira un juguete al suelo se lo recogemos una y otra vez, a veces incluso sonriendo como si estuviéramos disfrutando con el juego (de hecho, estamos realmente disfrutando), y de pronto nos cansamos y empezamos a protestar, «ya está bien, deja de tirar las cosas, papá se enfada...». Los mismos padres que han dicho «eres muy malo» cegados por la ira, otro día pueden exclamar «¡pero qué malo es este niño!» y decirlo en broma, mientras abrazan y besan a su hijo.

Los niños tienen que estar bien seguros. Si lo han reñido por pintar en la pared, ¿qué es exactamente lo que ha hecho mal? ¿Pintar una pared, cualquier pared? ¿Pintar esa pared concreta? ¿Hacer ruido al pintar la pared? ¿Usar un rotulador, cuando a lo mejor había que usar un bolígrafo o un lápiz? ¿Se ha enfadado mamá porque le he roto la punta al lápiz? ¿Será que tenía que haberme lavado las manos antes de pintar? ¿Será que no le gusta el color? ¿Está prohibido pintar paredes a la hora de comer? Así que puede intentarlo varias veces, y nos mira como preguntando: «¿Y ahora, ya se puede? ¿Y esta otra pared, se puede? ¿Y si hago rayas en vez de redondeles? ¿Y si uso el color azul? ¿Y por la tarde, ya se puede pintar?».

¿De verdad cree que le mira porque sabe que está haciendo algo mal? Haga memoria. Cuando usted hacía algo que sabía que iba a molestar a sus padres, algo que sabía que estaba prohibido (y no me venga con que nunca hizo nada prohibido), ¿lo hacía delante de ellos, y mirándolos a los ojos, o lo hacía a escondidas? Creo que lo hacen delante y mirándonos a los ojos precisamente porque quieren que los veamos y porque quieren conocer nuestra respuesta. Cuando nos desobedezcan (que por supuesto también lo harán) ya se encargarán de que no nos enteremos, ahora lo que hacen es pedir más información para poder obedecer mejor. Y su sonrisa probablemente no es para desafiarnos, sino para congraciarse. Intentan caernos bien. «Papá, mamá, no os enfadéis. Sin ánimo de ofender, y hablando en un plano estrictamente hipotético, ¿cómo reaccionaríais si yo pintase con este rotulador en esta pared?».

(Por cierto, ¿saben que esos rayajos en la pared se llegan a echar de menos? A veces lamento haber vuelto a pintar la pared. Habrá que esperar a que los nietos redecoren mi casa).

Otras veces, creo que esa sonrisa con que nos miran cuando hacen algo «prohibido» es una sonrisa de juego. Creo que no siempre es fácil, para un niño pequeño, distinguir entre un juego y la vida real. ¿Acaso en el parchís o en la oca no hay «castigos», no te comen la ficha o te envían de vuelta a la salida cuando haces algo «mal»? Pero es divertido, es un juego, no es un castigo de verdad, lo haces riendo... ¿Y si pintar la pared o tirar la comida al suelo también son juegos? ¿Y si mamá está enfadada «de broma», como cuando dice «corre, corre, que te pillo»? No se preocupe, con el tiempo aprenderá lo que es un juego y lo que no. Nadie juega a tirar la comida a los diez años, y casi nadie a los cinco años. Aprenderá con el tiempo, no hace falta que se ponga hecha una furia vengadora para mostrarle que está enfadada de verdad.

Dije más arriba que no entendía por qué esta conducta falsamente «desafiante» exaspera tanto a algunos padres. Bueno, tal vez un poco sí lo entiendo. Encontré hace muchos años una posible respuesta en un libro de Eda LeShan, *When your child drives you crazy*, «Cuando tu hijo te vuelve loco». Decía la autora que lo que más nos saca de nuestras casillas, lo que más nos molesta que hagan nuestros hijos, es precisamente aquello por lo que más nos riñeron y castigaron nuestros padres. ¿Puede ser? Haga memoria...

Aprenda de los que saben

Una de las órdenes más obedecidas de la historia es «Beba Boba-Loca». Algunas personas obedecen cada día, y mucha gente obedece con cierta frecuencia. Es difícil encontrar a una persona que no haya obedecido al menos una vez en su vida. ¿Cómo lo consiguen?

Básicamente con la repetición incansable de un mensaje simple y claro. «Beba Boba-Loca». En la puerta del bar, en la valla publicitaria, en la tele, en la revista. A veces la orden desnuda, a veces envuelta con otras imágenes para llamar la atención y no aburrir.

Pero siempre, siempre, siempre, con amabilidad, con delicadeza, sin gritar. Nada de «te he dicho veinte mil veces que bebas Boba-Loca», nada de «si no te acabas la Boba-Loca, no hay acelgas», nada de llevarnos al médico o al psicólogo: «no sé qué le pasa a este individuo, que mira que le digo veces que beba Boba-Loca, y no hay manera».

Aprenda de los verdaderos expertos en el arte de imponer su voluntad: los publicitarios. Ni violencia, ni amenaza, ni castigo, ni premio (¡si hasta tienes que pagar para obedecer la orden!). Simplemente la repetición paciente y constante de las instrucciones, y la mayoría de la gente obedece, al menos de vez en cuando. Y los que no obedecen así... tal vez tampoco obedecerían de otro modo.

Otros que saben mandar: los diplomáticos. ¿Acaso duda de que los países pequeños hacen casi siempre lo que les ordenan los países grandes? Pero los países grandes no van por ahí diciendo «haz esto, o te bombardeo, haz lo otro, o te invado». Al menos, no de entrada. Algunos países, en alguna época, se han comportado así, y la cosa muchas veces ha acabado mal. Hoy en día, las superpotencias saben que el truco es reunir una «cumbre conjunta», plantear algunas exigencias, digo *propuestas* importantes y otras menores, escuchar pacientemente a los representantes del país pequeño, ceder en las cosas pequeñas e insistir en las importantes, modificándolas en algunos aspectos para que el pequeño pueda sentirse bien y conservar la dignidad.

Pero algunos padres saben muy poco de diplomacia. Se pasan el día profiriendo gritos, castigos y amenazas: «¡que te estés quieta de una puñetera vez!», «¡a que esta tarde no ves los dibujos!», «no, mamá no ríe, mamá está muy enfadada»...

La obediencia absoluta es imposible

Nadie puede conseguir que lo obedezcan siempre, en todo, y rápido. Nadie. Ni el jefe, ni el general, ni el presidente, ni el heresiarca, ni siquiera el tirano. ¿Por qué esto sorprende a algunos padres? «Le digo las cosas, y no me hace caso». Por el amor de Dios, que no es más que una niña, ¿qué esperaba?

Los médicos nos pasamos la vida diciéndole a la gente que deje de fumar. Muy pocos hacen caso. Si nos dieran un euro por cada paciente que ha seguido fumando, seríamos todos ricos. Y si añadiéramos otro euro por los que siguen pasándose con la sal y con las grasas, o evitando hacer ejercicio físico, ya seríamos multimillonarios. Y estamos hablando de adultos, adultos maduros y responsables, que entienden el por qué y el para qué de las cosas, a los que un médico les ha dicho muy serio «si sigue fumando, este ahogo que siente va a ir a peor» o «si sigue fumando, puede usted tener un cáncer». Y no obedecen. ¿Realmente cree que un niño de tres años se va a acordar de lavarse los dientes cada día, cuando ni siquiera sabe lo que es la caries?

Las autoridades civiles, con todo su poder, no pueden conseguir la obediencia absoluta. En la mayoría de las situaciones, ni se molestan en dar órdenes. Piense en las cosas por las que usted ha reñido a su hijo a lo largo de la última semana. ¿Algún robo con arma blanca, algún asesinato, alguna falsedad en documento público o conspiración para alterar el precio de las cosas? Seguro que no. Seguro que su hijo no ha cometido ningún delito en la última semana. Puede que ni en la anterior. Usted lo ha reñido, tal vez incluso castigado, por cosas como llamar tonto a su hermano, ensuciarse la ropa, saltar en el sofá, dejar juguetes por el suelo o pararse en todos los escaparates. Cosas todas ellas perfectamente legales, cosas que, si en vez de hacerlas un niño las hiciera un adulto, no constituirían delito. Puede usted pisar un charco o quitarse el abrigo o coger un escarabajo muerto del suelo delante de un policía, y este no le hará el más mínimo comentario.

Los que mandan, normalmente, se limitan a dar órdenes en las materias realmente importantes: que no robes, que no mates, que pagues los impuestos, que circules por la derecha. Concentran en esos pocos temas su autoridad y su vigilancia. Y aun así, saben perfectamente que millones de personas defraudarán a Hacienda a la más mínima oportunidad. Nadie, salvo algunos padres, cuenta con que lo obedezcan en todo.

Ojo, no estoy propugnando que deje usted de dar instrucciones a su hijo, o que solo le prohíba aquellas cosas prohibidas por el Código Penal. Por supuesto, la situación es muy distinta. Los niños necesitan nuestra orientación y nuestra ayuda para aprender a hacerlo todo, desde jugar al parchís hasta lavarse los dientes. Tenemos que enseñarles todas las reglas, no solo el Código Penal. Lo que estoy diciendo es que no se pueden enseñar las reglas menores, las que solo son convenciones sociales o consejos prácticos para la vida cotidiana, como si fueran cuestiones de vida o muerte. No es lo mismo pegar a otro niño que poner los pies en el sofá. No puede reñir, castigar, gritar o pegar a su hijo porque ha puesto los pies en el sofá. Basta con decirle amablemente «no pongas los pies en el sofá, que se ensucia», o «quítate los zapatos antes de poner los pies en el sofá». Basta con decirlo, y con volverlo a repetir con la misma paciencia todas las veces que sea necesario. Recordando que, en último término, ojalá sea poner los pies en el sofá lo más «malo» que haga su hijo en su vida. Y una vez ha aprendido (usted) esta importante lección, que se puede conseguir que un niño deje de poner los pies en el sofá sin castigar, gritar o pegar, simplemente pidiéndolo con educación, explicándolo pacientemente y repitiéndolo incansablemente, ¿por qué no usar los mismos métodos en otras circunstancias? Por supuesto, cada situación requiere una determinada respuesta. Si su hijo pega a otro niño, no basta con decir «no peeeeeeegues» mientras sigue pegando tan tranquilo; hay que sujetarlo físicamente, apartarlo del otro niño, pedir perdón al otro niño (exigir que nuestro hijo pequeño pida perdón suele llevar a situaciones muy embarazosas, porque si no lo hace quedamos en ridículo y podemos perder los nervios; es mejor pedir perdón nosotros al otro niño y a sus padres, y así enseñamos con el ejemplo). Impedir la agresión, pedir perdón, explicar a nuestro hijo que no hay que pegar porque a los otros niños no les gusta que les peguen, repetirlo las veces que haga falta... y nada más; no hace falta castigarlo ni gritarle, y mucho menos pegarle, con lo que solo le estaría enseñando: «No seas tonto y no pegues a un niño casi tan grande como tú, que te la puede devolver. Espera a ser grande como yo, y entonces podrás pegar a los niños pequeños todo lo que quieras, ¿ves? ¡Toma, toma y toma!».

Los castigos

El castigo es completamente innecesario en la educación de los hijos. Lo sé porque mis padres nunca me castigaron, y nunca he castigado a mis hijos.

Mis padres me regañaron, por supuesto. Me dijeron «no hagas eso» o «¡mira lo que has roto!» o «no hables así». Pero nunca, nunca en la vida, me dejaron sin salir, o sin ver la tele, o me quitaron un juguete o me negaron una golosina porque me hubiera portado mal. Simplemente me decían lo que tenía que hacer y lo que no, y ya está.

Por supuesto, hice muchas cosas que me habían prohibido, y dejé de hacer muchas que me habían ordenado. Como todos los niños. Como todos los adultos. Pero no creo que hubiera obedecido más si me hubieran castigado.

Tampoco he castigado nunca a mi esposa. Ni ella a mí (no por mis merecimientos, mas por su sola clemencia). Hasta donde yo sé, la inmensa mayoría de los adultos no suele castigar a otros adultos. A un compañero de trabajo le podemos decir: «por favor, archiva los expedientes en su carpeta correspondiente, porque si están desordenados no hay manera de encontrar nada», pero jamás le diremos «como vuelvas a dejar un expediente fuera de sitio, estarás dos sábados sin ir al cine». Sabemos que un castigo así es innecesario, sospechamos que sería inútil, y sobre todo somos conscientes de que sería ridículo y prepotente. Casi más ridículo que prepotente. El rechazo social caería ineludiblemente sobre el castigador. Si Juan castiga a Pedro sin salir un sábado porque tiene la oficina desordenada, la mayoría de la gente no diría «qué vergüenza, este Pedro es un desordenado», sino «qué se ha creído este Juan, qué tío más imbécil».

Sí que recibí algunos castigos en la escuela. Algunos deberes extra, algunos reglazos, algunos minutos sin recreo. No recuerdo que ninguno de esos castigos me impulsase a portarme mejor; al contrario, cuando sentía que el castigo era injusto, cuando por ejemplo castigaban a toda la clase por un jaleo en el que yo no había participado, pensaba «ahora tengo derecho a hablar en clase, porque ya he pagado el precio». Por cierto, lo de poner deberes extra (una redacción, cinco multiplicaciones...) como castigo nunca lo he entendido. Un castigo, por definición, debe ser algo malo. Y los deberes se supone que son buenos (o al menos eso opinan los profesores que ponen deberes; yo no estoy muy seguro). ¿Cómo puedes pretender que los alumnos hagan los deberes contentos, si al mismo tiempo les estás diciendo que es un castigo? No se puede castigar a los niños a hacer deberes, como no se les puede castigar a leer, a comer fruta o a recoger la habitación, porque les estaríamos diciendo que esas cosas son malas.

Tampoco me impulsaban los castigos a respetar más al profesor. Siempre preferí a los profesores que no castigaban. Muy pronto me di cuenta de que los mejores profesores no castigaban, porque sabían imponer su autoridad sin recurrir al castigo. Los mejores no necesitaban ni siquiera gritar, amenazar o reñir; simplemente los respetábamos. Profesores serios, amables y respetuosos que decían «haz esto» o «no hagas aquello» y casi todos, casi siempre, obedecíamos contentos. Enfrente, otros profesores gritones, sarcásticos, malcarados, iracundos e ineficaces, a los que solo fingíamos obedecer cuando nos estaban mirando.

Cuando yo era niño (igual que todos los niños, supongo), no tenía una clara conciencia de que acabaría por convertirme en adulto y de las múltiples implicaciones de este proceso. Sabía que algún día sería adulto, por supuesto, igual que hace unos años mucha gente sabía que «la burbuja inmobiliaria va a reventar», pero no tenía idea certera de la que se me venía encima. Concretamente, no reflexionaba sobre el hecho de que mis profesores también habían sido alumnos, también se habían portado mal y también los habían castigado. Ahora que comprendo plenamente esos aspectos, comprendo también que, mientras ellos me castigaban y yo los miraba con expresión servil y contrita, ellos sabían, tenían que saber, que yo estaba pensando que eran imbéciles y tramando terribles venganzas, lo mismo que ellos debieron pensar cuando eran niños. Y que sabiendo eso todavía tuvieran ánimos para castigar a nadie es algo que me sorprende cada vez más.

Un par de maestros tuve que nos gritaban algo así como «cuando os comportéis como personas, os trataré como a personas», y yo, por supuesto, mientras asentía en respetuoso silencio (que es la actitud que las personas prudentes suelen adoptar ante los violentos, y que estos últimos erróneamente interpretan como un éxito de su método), pensaba «pues cuando me trates como a una persona, me comportaré como una persona». Llegué a tener uno que decía, con increíble candidez, «no os pongáis burros, que a mí a burro no me gana nadie». Y todos, claro, teníamos que reprimir una sonrisa mientras le dábamos mentalmente la razón.

Curiosamente, no podemos castigar a nuestros hijos por cosas realmente graves. Si nuestra hija robase un banco o si nuestro hijo violase a una chica, no podríamos castigarlos. La ley lo prohíbe. Nadie tiene derecho a tomarse la justicia por su mano. Ni siquiera la policía puede castigar, solo los jueces. Y solo con una serie de garantías, en virtud de una ley escrita anterior al delito, previa audiencia del acusado, con asistencia letrada y posibilidad de recurso ante un tribunal superior. Y si no podemos castigar a nuestro hijo por un delito, ¿por qué lo podemos castigar, entonces? ¿Por mancharse jugando, por decir palabrotas, por sacar malas notas? ¿Por tonterías?

El sillón de pensar

Desde hace unos años, el «sillón de pensar» y las «normas de la casa» (escritas en un gran papel y pegadas en la pared) se han puesto de moda en España, gracias al programa de televisión *Supernanny*. Se aplica aquí el mismo principio que antes he mencionado al hablar de castigos y deberes: ¿de verdad queremos decirle a nuestros hijos que sentarse a pensar es un castigo? ¿Es que los «niños buenos» ni se sientan ni piensan?

Parece que el dichoso sillón de pensar se está extendiendo no solo por los hogares, sino también por las escuelas. Lo que me sorprende, porque se supone que los educadores han estudiado y deben aplicar métodos pedagógicos «científicos», y no cualquier cosa que vean por la tele, pero bueno.

Mi amiga Rosa Jové, psicóloga y autora de libros sobre la crianza de los niños, recopila respuestas de los niños ante el sillón de pensar. Un par me gustaron especialmente (que me disculpe si me equivoco, pues cito de memoria):

- El niño de unos cinco años que dijo con toda su buena voluntad: «No se preocupe, *seño*, ¡yo ya sé pensar de pie!».
- La niña que explicó a sus padres: «Hoy me han hecho sentar en el sillón de pensar cosas malas» (pues los niños no son tontos, y ya se dan cuenta de que solo las cosas malas se piensan en el sillón; nunca te dirán «siéntate un rato a pensar sobre el dibujo tan bonito que has hecho»).

He visto algunos episodios de la *Supernanny* original, la inglesa (Jo Frost). Sé que hay varias versiones locales, pero no las he visto nunca y no puedo opinar. De la *Supernanny* original debo decir que tiene bastantes cosas buenas. No me convence nada el hecho de que nos muestren por la tele a niños claramente identificables en situaciones comprometidas; yo, desde luego, no aceptaría que se viera mi rostro en un programa sobre cómo corregir a pediatras «con problemas de conducta». Tampoco me gustan sus consejos sobre el sueño, siempre en la línea de Ferber (que el niño duerma solo, salir de la habitación y dejarlo llorar un minuto, tres, cinco... hasta que se canse y deje de llorar). Pero me gusta que diga claramente a los padres que bajo ningún concepto pueden pegar, gritar o insultar a los niños, que insista en la necesidad de dedicar un tiempo cada día a estar con los hijos, a hacerles caso, a ayudarlos con los deberes, a jugar con ellos, llevarlos de excursión o hacer otras actividades en familia.

Las familias que aparecen en los programas de *Supernanny* a menudo muestran graves problemas de conducta y de relación. No solo los niños. Imagino que, con algunos padres, ciertos argumentos no funcionarían. Ella usa una estrategia, no dice «no pegue ni insulte a su hijo porque eso no es ético y porque su hijo tiene derechos», sino «no pegue ni insulte a su hijo porque usted tiene que mostrar autoridad, y al ponerse a gritar y a pegar pierde los papeles y pierde autoridad delante de su hijo». Es solo otra manera de vender la misma moto. Y la silla de pensar cumple la misma función. Es solo un minuto por año de edad, muy poco en comparación con aquellas horas y horas de otro tiempo, encerrado en la habitación o en el cuarto obscuro. Y aunque a los padres se les vende la moto de que es una especie de castigo, o un método para que el niño «piense» sobre lo que ha hecho, el verdadero objetivo es separar a los padres del niño para evitar la agresión. Mi propio padre solía aconsejarme: «Antes de decir una tontería, cuenta hasta diez, y luego, no la digas». Pues el sillón de pensar consiste en «antes de pegar o gritar a tu hijo de tres años, apártate de él durante tres minutos, y así te calmas un poco y luego ya no le gritas ni le pegas».

De modo que si usted no tenía la más mínima tentación de pegar o gritar a su hijo, no hay ninguna necesidad de ponerlo en el sillón de pensar. Y si realmente alguna vez pierde los papeles y le dice a su hijo cosas de las que luego se arrepiente, en vez de sentarlo en una esquina puede usted irse a otra esquina, en silencio, tres minutitos. Somos los padres los que tenemos que pensar un poco más antes de meter la pata.

Por desgracia, a todo el mundo le gustan más las soluciones fáciles y rápidas que las que requieren tiempo y esfuerzo. Si el médico recomienda dieta sana, ejercicio físico y una pastilla, la gente se toma la pastilla y se olvida de la dieta y del ejercicio. Es lástima que mucha gente se haya fijado solo en la silla de pensar de la *Supernanny*, y se haya olvidado de lo de no gritar ni insultar ni pegar o de lo de pasar más tiempo con los hijos, prestarles más atención y mostrarles más confianza.

Las consecuencias

La palabra *castigo* se inventó para no llamarlo por su verdadero nombre: *venganza*. Es lo mismo: «si tú me haces esto, yo te hago esto otro». Pero como suele ocurrir con esto del lenguaje políticamente correcto, cuando es la cosa en sí la que nos parece mal, cualquier nombre que le pongamos nos acabará pareciendo igual de mal. *Castigo* ya no suena bien, y buscamos otra manera más disimulada de llamarlo. Ahora está bastante de moda llamarlo *consecuencias*.

Un padre me decía hace algún tiempo: «El niño no quiere cenar porque ha visto que, aunque no cene, no hay consecuencias. Ha de comprender que sí que las hay. He pensado que, cuando no cene, no le contaré un cuento. Así verá que no cenar tiene consecuencias». Por más vueltas que le doy, no consigo entender la diferencia entre estas «consecuencias» y castigar al niño sin cuento porque no ha cenado (y nada menos por no cenar: ni siquiera es una mala acción, una gamberrada o una travesura, simplemente es que no tiene hambre. Pues está en su pleno derecho a no cenar).

Claro, el que algunos padres hayan confundido consecuencias con castigos, y el que yo tampoco vea la diferencia, no quita para que en realidad sean cosas distintas. Debo buscar más información, no puedo negar algo simplemente porque no lo conozco.

No consigo localizar estudios científicos que hablen de castigos y consecuencias, aunque sí algunos sobre las consecuencias de los castigos... y no parecen ser buenas... Tracie Afifi y colaboradores,[4] por ejemplo, estudiaron los efectos del «castigo físico severo» (definido como empujar, agarrar, arrastrar, abofetear o golpear) en ausencia de malos tratos graves (abuso físico tan fuerte que dejase marcas o heridas, abuso sexual o emocional, abandono físico o emocional o exposición a la violencia entre la pareja). Es un estudio a medida de quienes opinan que las bofetadas no son malos tratos. Pues bien, los adultos que en su infancia habían recibido esos castigos «que no son malos tratos» tenían más problemas mentales, más drogadicción y más alcoholismo.

Pero sí encuentro una página de Internet titulada «La gran diferencia entre castigos y consecuencias» (http://hijos.about.com/od/ Conducta./ss/Castigo-O-Consecuencias-C-Omo-Ejercer-La-Disciplina-Efectiva.htm). El título parece prometer justo la respuesta que ando buscando. Parece una página seria; está escrita por Margaret McGavin, profesora y directora de escuela con más de veinticinco años de experiencia. Empieza diciendo que hay una gran diferencia:

> Castigar es exigir recompensa y tomar represalias por la falta cometida. Si tú castigas, causas sufrimiento a tu hijo (y sentimientos de culpa a ti mismo).
>
> En cambio, las consecuencias de una falta a las reglas son los resultados naturales de haber ignorado los acuerdos de la casa. Si tu

---

4. Afifi, T. O., Mota, N. P., Dasiewicz, P., MacMillan, H. L., Sareen, J.; «Physical punishment and mental disorders: results from a nationally representative US sample». *Pediatrics*, 2012, 130, 184-192.

http://pediatrics.aappublications.org/content/early/2012/06/27/ peds.2011-2947.full.pdf familia ha trabajado para llegar a un consenso sobre las «reglas de oro» de tu casa, entonces ya todos conocen las consecuencias de no tomarlas en cuenta.

Usar el concepto de «consecuencias» pone la responsabilidad sobre tu hijo: él ha decidido romper el trato común, y él ha escogido sus propias consecuencias.

Como teoría, muy bonita. Pero luego vienen varios ejemplos de reglas (no mentir nunca, hacer los deberes, no faltar al respeto a mamá) y un solo ejemplo de consecuencia: «Hoy pegaste a tu hermano: hoy no tienes permiso de jugar con tus amigos». Pues lo siento, pero no veo la diferencia entre esto y «Hoy pegaste a tu hermano; castigado sin salir a jugar». Le habrán cambiado el nombre, pero la cosa sigue siendo la misma.

Y, francamente, eso de que la familia «ha trabajado para llegar a un consenso sobre las reglas» también me chirría. ¿Qué posibilidades tiene un niño pequeño de negociar con sus padres y llegar a un consenso? No solo el niño no tiene la capacidad intelectual y la independencia para consensuar nada; es que no hay tiempo material, una familia necesitaría horas y horas, meses y meses, para debatir todas y cada una de las posibles reglas («¿Qué os parece, se puede pintar en la pared o no? ¿Y cuáles creéis que deben ser las consecuencias de pintar en la pared? Muy bien, siguiente punto del orden del día, ¿se puede escupir en el suelo?...»).

¿Y si hay dos padres y tres hijos, y ganan los niños por mayoría? ¿Qué pasa si deciden que los deberes no hace falta hacerlos, o que papá y mamá no deben faltar al respeto a los niños, o que hay que comer helado de postre todos los días? ¿Y si el niño echa pintura en el sofá, y resulta que todavía no habíamos consensuado ninguna regla sobre echar pintura en los sofás? No nos engañemos, las «reglas de la casa» no se van a consensuar, sino que las pondrán los padres, y no estarán escritas ni se le habrán comunicado previamente al niño, sino que irán surgiendo sobre la marcha. Y si el niño en algún momento ha «consensuado» un castigo, digo *consecuencia*, será porque lo hemos enredado con nuestra superioridad dialéctica, porque evidentemente él preferiría que no hubiera castigo ninguno.

No estoy criticando el hecho de que las reglas las impongamos los padres. Es lógico, es nuestra obligación. No podemos sentarnos a consensuarlo todo con un niño pequeño. Los niños no saben lo que hay que hacer, nosotros sí. Tenemos el derecho y el deber de poner reglas razonables, de enseñárselas a nuestros hijos y de intentar con buenos modos que las cumplan de forma apropiada a su edad.

En último término, eso de «él ha decidido romper el trato y ha escogido sus propias consecuencias» no deja de ser el «tú te lo has buscado» de toda la vida. Es la manera que tenemos los adultos de negar nuestra propia responsabilidad en el castigo. «No, si yo soy un padre excelente, atento, cariñoso y respetuoso, pero es que esta niña se empeña en que la castigue, digo que *le aplique consecuencias*».

Existe otro concepto más razonable, el de las «consecuencias naturales». Si no estudias, sacas malas notas; si sales a la calle sin abrigo, pasas frío; si no comes, luego tienes hambre, si no recoges los juguetes, los pierdes. Pero, ojo, las consecuencias naturales tienen que ser naturales de verdad: no vale esconderle a un niño el juguete que dejó fuera de sitio, para que vea que así lo pierde. El juguete se tiene que perder solo. Y, claro, la mayor parte de los juguetes no se pierden, por mucho que los dejes por ahí tirados.

El problema de las consecuencias naturales es que en muchos casos no podemos permitir que nuestro hijo las experimente, porque son demasiado peligrosas. No podemos permitir que nuestro hijo juegue con fuego o con cuchillos, moleste al perro («¿Ves lo que pasa? Si lo molestas, te muerde») o beba líquido de frenos. Y en otros muchos casos no habrá ninguna consecuencia, al menos ninguna inmediata y palpable, aunque haga algo inequívocamente malo: si come cada día veinte caramelos, no habrá ninguna consecuencia (hasta al cabo de varios meses, cuando empiecen las caries); si pega a otro niño más pequeño, la única consecuencia será que el otro llorará (pero eso no es algo que preocupe mucho al agresor). Es lo que ocurre con los adultos: fuman, y aparentemente no hay ninguna consecuencia, hasta que al cabo de muchos años tienen bronquitis o cáncer.

Ahora bien, en algunos casos concretos sí que es útil dejar que el niño experimente las consecuencias de sus actos. Pero no lo veo como una «técnica» para modificar la conducta de los niños, sino la de los padres: deja en paz a tu hijo, porque tus continuas órdenes y advertencias son peores que las consecuencias de sus errores.

Por ejemplo: el niño que no se quiere abrigar. Algo muy frecuente con niños pequeños: los padres quieren ponerle el abrigo y la bufanda antes de salir a la calle, el niño llora y se resiste. Lógico, porque todavía no está en la calle, y todavía no tiene frío. Los meteorólogos, con aparatos, satélites, ordenadores y años de estudio, no pueden predecir el tiempo a más de tres días vista, ¿y pretendemos que un niño de dos años prevea el tiempo con cinco minutos de antelación? ¡No puede! Un niño que está en su casa y tiene calor no es capaz de comprender que dentro de cinco minutos, en la calle, tendrá frío. En vez de esa absurda pelea, lleve el abrigo en la mano, salga con su hijo a la calle, y en unos minutos será él mismo el que pedirá el abrigo y se lo pondrá contento (y, sobre todo, no lo estropee todo con el típico comentario «¿Ves? ¡ya te dije que haría frío!». No es necesario apuntarse ningún tanto, simplemente lleve el abrigo en la mano y póngaselo cuando lo pida). Y también puede ser que no haga tanto frío como usted pensaba, y que su hijo en ningún momento quiera ponerse el abrigo, y entonces será usted la que experimentará las consecuencias de sus actos: por ser tan maniática con lo de abrigarse, ahora tendrá que llevar todo el rato el abriguito en la mano.

Otro ejemplo: cuando su hijo se meta el dedo en la nariz, o haga muecas, o camine de puntillas o de talones o dé saltitos o toque la pared o grite de alegría, en vez de reñirlo, regañarlo, decirle que se esté quieto o que no se rasque o que se va a hacer la boca grande, pruebe a no decir nada de nada. Permita que su hijo experimente las consecuencias de hacer todas esas cosas. Verá que no hay ninguna, absolutamente ninguna consecuencia. A ver si los padres aprenden algo de esa experiencia.

En 1998 un médico californiano, el doctor Donald Unger,[5] publicó en una carta al director de la revista *Arthritis & Rheumatism* el resultado de una curiosa investigación; durante 50 años había hecho crujir, al menos dos veces al día, los nudillos de su mano izquierda, mientras la derecha servía de control. Todo para demostrar que su madre (y varias tías) se equivocaban cuando le advertían que hacer crujir los nudillos le provocaría artrosis. Su investigación le valió en 2009 un premio Ig Nobel (los premios Nobel de broma, que concede la revista *Annals of Improbable Research* (www.improbable. com) a aquellos estudios «que al principio hacen reír a la gente, y luego la hacen pensar». Es un ejemplo extremo de la prolongada influencia que tenemos los padres en la vida de nuestros hijos, y de lo hartos que pueden quedar algunos niños cuando sus padres se pasan el día riñéndoles por tonterías. (Obsérvese, de paso, que aunque el Dr. Unger no creía, en principio, en las advertencias de su madre, hizo el experimento con la mano izquierda. Por si acaso).

Un último ejemplo: la comida. Ya he dedicado un libro entero al tema. Cuando su hijo no quiera comer, pues que no coma. Y así experimentará las consecuencias: dentro de unas horas, tendrá más hambre. Si no ha comido, ya merendará, o ya cenará. Pero, una vez más, eso no es una técnica de modificación de conducta. O, al menos, no de modificación de la conducta del niño. Porque la conducta del niño es la correcta: si no tengo hambre, no como; si tengo hambre, sí como. Si todo el mundo hiciera lo mismo, habría

---

5. Unger, D. L., «Does knuckle cracking lead to arthritis of the fingers?». *Arthritis Rheum*, 1998, 41, 949-950.

en el mundo mucha menos obesidad y mucha menos anorexia y bulimia. Es la conducta de los padres la que era inadecuada, es absurdo hacer comer a un niño que no tiene hambre o poner el abrigo a uno que no tiene frío.

El perdón

Si tuvo usted una educación religiosa, probablemente recordará la parábola del hijo pródigo. «Un hombre tenía dos hijos...». Era un hombre rico: tenía siervos, y tenía rebaños. A veces los nuevos ricos cometen el error de ofrecer a sus hijos una vida demasiado regalada, y los malcrían. Pero habitualmente las familias ricas de toda la vida, las de «dinero viejo», saben inculcar en sus retoños las virtudes del esfuerzo y del ahorro. Así que los dos hijos tenían que trabajar cuidando los rebaños.

Tal vez el padre del hijo pródigo exigió demasiado. Su hijo mayor (el «bueno», el obediente) le reprocha amargamente que nunca le ha dado ni un cabrito para montar una fiesta con sus amigos. Y su hijo menor acaba por rebelarse: harto de apacentar ovejas, le exige su parte de la herencia y se va de casa.

Se gastó el dinero con sus amigos, en vino y mujeres. Pero el dinero, es bien sabido, muestra una molesta tendencia a alejarse de su dueño, y cuanto más gastas, antes se te acaba. Al quedarse sin dinero se quedó también sin vino, sin mujeres y (no se lo van a creer) sin amigos. Tuvo que ponerse a trabajar, nada menos que apacentando cerdos. Miraba con envidia las algarrobas que comían los cerdos, pero no le permitían comerlas.

Es entonces cuando decide volver con su padre. No espera que lo acepte como hijo, piensa decirle «trátame como a uno de tus jornaleros». El Evangelio, me parece, es bastante claro en un punto: no está realmente arrepentido. Su principal, su único argumento para volver es «¡Cuántos jornaleros en casa de mi padre tienen abundancia de pan, y yo aquí perezco de hambre!». No se plantea cuánto habrán sufrido sus padres, no se le pasa por la cabeza que ha obrado mal. No le duele el sufrimiento de sus progenitores, sino el suyo propio. Tiempo tuvo para arrepentirse mientras estaba con los amigos, el vino y las mujeres, pero no nos consta que se arrepintiera ni siquiera un poquito. Si decide volver con su padre es solo por interés, para comer pan en abundancia en vez de suspirar por las algarrobas podridas.

¿Qué hizo el padre cuando su hijo volvió con el rabo entre las piernas a pedir la sopa boba? ¿Qué recomendarían hoy en día los pediatras, psicólogos y educadores para un hijo que comete una falta, y no una falta pequeña, como no recoger la habitación o sacar malas notas, sino nada menos que gastarse en droga y prostitutas la mitad de la hacienda familiar?

¿Debería castigarlo? ¿Unos buenos azotes? ¿Seis meses sin salir los sábados, seis años sin salir los sábados? ¿Nada de chuches? ¿Veinte minutos (uno por año de edad) en el sillón de pensar para que reflexione sobre lo que ha hecho?

¿Debería hacerle ver las consecuencias de sus actos?: «Está bien, quédate si quieres, pero que tengas bien claro que tu parte de herencia ya te la has gastado, y ahora todo lo que queda será para tu hermano».

¿Debería echarle un sermón? Es un libro religioso, un sermón vendría que ni pintado: «Hijo mío, no sabes cómo nos has hecho sufrir a tu madre y a mí. Parece mentira que hayas podido pagarnos de este modo todo los sacrificios que hemos hecho por ti. Francamente, no me esperaba esta actitud, no es así como te hemos educado, estoy profundamente decepcionado. Ya ves lo que ocurre cuando te gastas el dinero en vicios y pecados; solo el trabajo honrado y la vida regulada conducen a la felicidad...».

¿Debería recurrir a la ironía?: «¡Vaya, vaya! ¿Y dónde están ahora aquellos amigos tuyos? ¡Seguro que alguno te invitará a comer!».

¿O incluso llegar hasta el sarcasmo?: «¿Qué?, aprieta el hambre; ¿eh?».

Pues no hizo nada de eso:

Y levantándose, vino a su padre. Y cuando aún estaba lejos, lo vio su padre, y fue movido a misericordia, y corrió, y se echó sobre su cuello, y lo besó. Y el hijo le dijo: «Padre, he pecado contra el cielo y contra ti, y ya no soy digno de ser llamado tu hijo». Pero el padre dijo a sus siervos: «Sacad el mejor vestido, y vestidlo; y poned un anillo en su mano, y calzado en sus pies. Y traed el becerro gordo y matadlo, y comamos y hagamos fiesta; porque este mi hijo muerto era, y ha revivido; se había perdido, y es hallado».

Perdón. Perdón absoluto, inmediato, incondicional, sin la más mínima palabra de reproche. Incluso daría la impresión de que lo están premiando por lo que ha hecho. Eso opina el hermano mayor, que «entonces se enojó, y no quería entrar». Y una vez más su padre no se enfada con el mayor, no lo riñe, no le deja sufrir las consecuencias (si no quiere entrar en la fiesta, pues se queda sin fiesta). «Salió por tanto su padre, y le rogaba que entrase». No le ordenó entrar (¡y eso que era el hijo obediente!), se lo rogó.

Lo curioso es que se trata de una parábola. Las parábolas eran ejemplos sencillos de la vida cotidiana con los que Jesús explicaba a un público ignorante complicados conceptos teológicos o filosóficos. La idea no es «Yo, Jesús, os recomiendo que perdonéis a vuestros hijos», sino «¿Verdad que cualquier padre, verdad que cualquiera de vosotros, en circunstancias similares, perdonaría a su hijo sin el menor reproche? Pues del mismo modo vuestro padre celestial...».

¿En qué libro moderno sobre educación de los hijos han leído que se les pueda perdonar? Todo lo que yo leo trata de venganzas, digo «castigos», digo *consecuencias*, o, en el mejor de los casos, de otras técnicas de modificación de conducta, de estrategias destinadas a lograr que el hijo obedezca, que no repita su falta. ¿Realmente modificar la conducta de nuestro hijo es más importante que quererlo con locura?

No estoy diciendo que los niños hagan lo que quieran. Evidentemente, hay cosas que no deben hacer, y cosas que sí deben hacer, y debemos decírselo. He dicho desde el principio que los padres tenemos autoridad, y que nuestra responsabilidad es ejercerla. Pero no es nuestra única responsabilidad, ni nuestra mayor prioridad, ni la única manera de educar y guiar a nuestros hijos es mediante la instauración de un estado policial. No hace falta pasarse el día estableciendo (digo *consensuando*) reglas, buscando infracciones y estableciendo *consecuencias* (que según sus partidarios deben ser proporcionadas, inmediatas, sin excepción ni recurso posible). También hay cosas que no queremos que haga nuestro cónyuge, pariente, vecino o compañero de trabajo. Pero habitualmente basta con decir «oye, por favor...», y cuando eso falla solemos optar por aguantarnos. No nos pasamos el día imponiendo *consecuencias* a los adultos, ¿por qué habría de ser tan distinto con los niños?

Los premios

Ya en mi libro *Bésame mucho* decía que los premios no me parecen una buena forma de educar (aunque, claro, puestos a elegir, mejor un premio que un castigo). No me gustan los premios por varios motivos:

Primero, muchas veces cuesta distinguir el premio del castigo. «Si sacas buenas notas te llevo al zoo», ¿no se parece sospechosamente a «si sacas malas notas, no irás al zoo»?

Segundo, muchas veces el premio es una cosa intrínsecamente mala. «No comas caramelos porque son malos para los dientes. Pero si te portas bien te compraré caramelos». ¿No resulta un poco confuso?

Tercero, otras veces el premio es intrínsecamente bueno, y por tanto, ¿cómo se lo vamos a negar? Queremos que nuestros hijos se aficionen a la lectura, que hagan ejercicio, que tengan amigos, ¿cómo podemos decir que solo les compraremos un libro, solo los llevaremos al parque o solo les dejaremos invitar a sus amigos a jugar si primero sacan buenas notas o recogen la habitación?

Cuarto, y más importante, los premios rebajan la calidad moral del acto. Tanto el de los niños como el de los adultos.

El que hace las cosas para obtener un premio, ¿no es un interesado? Si le decimos a nuestro hijo «recoge la habitación, por favor», y la recoge, puede sentirse orgulloso porque ha hecho algo bien. Y si simplemente le decimos «es más agradable estar en una habitación recogida, ¿ves?, guardaré aquí los juguetes, aquí los lápices de colores», y nos ponemos a recoger y tal vez espontáneamente nos ayuda, o tal vez otro día espontáneamente recoge él, pues más orgulloso aún se puede sentir. Pero si le hemos dicho «si recoges la habitación te doy cinco euros (o te llevo al cine)», ¿no se quedará con la sensación de que solo lo ha hecho por dinero? Es más, ya desde el momento en que le hacemos la propuesta, ¿no pensará que no confiamos en él? ¿No le estamos diciendo en el fondo «sé que eres un desordenado, y que por más que te diga no vas a recoger, así que tendré que ofrecerte un premio»?

Y, desde el punto de vista de los padres, ¿podemos sentirnos orgullosos de lo que hemos hecho? ¿Llevo a mi hija al parque, o le cuento un cuento, porque la quiero mucho y quiero hacerla feliz y porque disfruto haciendo cosas con ella? ¿O simplemente estoy montando un programa de incentivos a la producción? ¿Acaso no le contaría el cuento si ella no hubiera sacado buenas notas?

Hace ya años, decía, que no me gustan los premios. Pero lo que yo no sabía entonces (y podría haberlo sabido, porque hace décadas que se ha demostrado científicamente, pero yo no me había enterado) es que los premios, además de antipáticos, son inútiles y contraproducentes.

Hay numerosos estudios experimentales, tanto con niños como con adultos, que así lo prueban. La psicóloga Wendy Grolnick ha resumido esos estudios en un libro titulado *La psicología del control paterno*.[6] Por ejemplo, se pide a dos grupos de personas que hagan determinada actividad, como pintar. A uno de los grupos se

---

6. Grolnick, W. S., *The psychology of parental control. How well-meant parenting backfires*. Lawrence Erlbaum Associates, Mahwah, 2003.

le ofrece previamente un premio si pintan mucho, al otro no. Más tarde, una vez terminada la sesión y pagado (en su caso) el premio, se les deja un tiempo descansando en una sala, en la que hay, entre otras cosas, materiales de dibujo. Aquellos a los que nunca se había ofrecido ningún premio dibujan mucho más que los otros.

Esos son los hechos, y se han comprobado repetidamente: los premios e incentivos aumentan la conducta premiada (si es que la aumentan) solo mientras la oferta está en vigor. Cuando retiras el premio hay efecto rebote, y volvemos no al nivel anterior, sino más abajo.

La explicación se basa en la distinción entre **motivación interna** y **motivación externa**. Cuando percibimos que una cosa la hacemos porque nos lo han pedido, porque nos obligan, porque nos prometen un premio, porque nos presionan para hacerla, la hacemos poco y mal. Cuando tenemos la impresión de que una cosa la hacemos porque nos gusta, porque tenemos ganas, porque se nos ha ocurrido a nosotros la idea, la hacemos más y mejor.

Es una de esas cosas que, una vez leídas, exclamas «¡pero claro!, ¿cómo no se me había ocurrido antes?». Que los premios son contraproducentes no debería sorprendernos, porque lo vemos a diario.

El premio por excelencia, en el mundo de los adultos, es el dinero. Nos pagan por trabajar.

Muchos trabajamos solo por dinero, en un oficio que jamás buscamos y nunca nos gustó, pero algo había que hacer para comer. Otros tenemos la suerte de trabajar en algo que nos gusta, para lo que hemos estudiado durante años, algo con lo que tal vez soñábamos desde niños.

Pero la mayoría de la gente, incluso la mayor parte de los que eligieron una profesión vocacional, están deseando trabajar lo menos posible. Estamos deseando que llegue el sábado, y nos fastidia el lunes. Soñamos con las vacaciones. Cuando anunciaron que la jubilación se retrasaría de los sesenta y cinco a los sesenta y siete, todo el mundo se quejó. Si alguien dijo «¡qué bien, disfrutaré dos años más de mi agradable trabajo!», yo, desde luego, no lo escuché. Y si nos dijeran que tenemos que trabajar una hora más cada día, o que nos quitan una semana de vacaciones, ¿cómo nos lo tomaríamos?

Y de las pocas personas que a pesar de todo siguen disfrutando con su trabajo, deseando trabajar más, quedándose más horas, llevándose trabajo a casa, ¿qué decimos? «¡Se nota que no lo hace por dinero!». Cuando alguien trabaja con desacostumbrada energía sabemos que no lo hace por el premio o por los incentivos, sino por otros motivos.

Nos dan cada mes un premio por haber trabajado, y nos prometen un premio igual por trabajar el mes siguiente. Pero el resultado no es que trabajemos cada vez más, ni que nos guste cada vez más nuestro trabajo, sino que trabajamos el mínimo imprescindible para conseguir el premio, y desde luego no pegaremos un palo al agua cuando nos dejen de pagar.

Y en cambio por las tardes, o los fines de semana, o en vacaciones, hacemos otras cosas. Deporte, lectura, excursionismo, filatelia, danzas regionales o sudokus. Cosas por las que nadie nos paga; al contrario, generalmente tenemos que pagar. Actividades que a veces requieren más tiempo y más esfuerzo que el trabajo, pero nos gustan más. Decimos «estoy molido» al volver del trabajo, y decimos «estoy molido» al salir del gimnasio o al volver de la excursión, pero no lo decimos con el mismo tono, ni con la misma sonrisa, ni con el mismo significado. Hay cansancios «buenos» y cansancios «malos». Y estamos deseando que llegue la jubilación para poder dedicar aún más tiempo a la lectura, al canto coral o a viajar.

Solo en un caso concreto se ha visto que el premio sí que sirve como incentivo y anima a esforzarse más: cuando es inesperado. Si nos prometen una prima por conseguir más clientes el mes que viene, nos sentimos presionados y puede que nuestra eficacia no sea muy grande, pues tememos no estar a la altura. Y en todo caso dejaremos de esforzarnos el mes que no haya promesa de prima. En cambio, si el jefe nos dice sin previo aviso: «enhorabuena, el mes pasado consiguió usted muchos clientes, tendrá una recompensa especial», nos sentimos capaces y eficaces, saboreamos el éxito, y probablemente trabajaremos con más entusiasmo durante muchos meses.

Ahora bien, el hecho de que sea eficaz como estímulo no significa que debamos hacerlo con nuestros hijos. Es cierto, dándole a nuestra hija la sorpresa, «como has sacado buenas notas, iremos de excursión», no devaluamos la calidad moral de su estudio. Ella sabe que no ha estudiado por interés, sino por convicción, y que el premio es cosa aparte. Pero sí que devaluamos la calidad moral de nuestro premio; parece que no queremos hacer algo con ella por amor, sino solo porque ha sacado buenas notas. Así que yo prefiero decir, simplemente: «como por fin tienes vacaciones, iremos de excursión».

Los elogios

Los elogios, explica Grolnick, no suelen ser desmotivadores como los premios. Pero, ojo, depende del tipo de elogio.

Hay elogios a la persona: «Eres muy buena en matemáticas». «Estoy orgullosa de ti». «Eres un niño muy bueno».

Hay elogios al proceso: «Has estudiado mucho». «Se nota que has pintado con mucho cuidado».

Hay elogios al resultado: «¡Qué dibujo más bonito!». «¡Mira qué buenas notas ha sacado Sandra!».

Los elogios al proceso, y en menor medida también al resultado, suelen ser motivadores: el niño que recibe elogios intenta seguir haciendo las cosas bien. Especialmente si demostramos que realmente nos interesan sus cosas. «Qué dibujo más bonito» puede ser un elogio hueco y rutinario; nuestro hijo quedará mucho más contento si dedicamos unos minutos a su obra y decimos cosas más concretas: «Fíjate, si hasta sale humo de la chimenea», «Este caballo, parece que esté corriendo», «Ayer pasaste mucho rato dibujando, y se nota, porque has puesto muchos detalles, como estos pececitos en el estanque...». Y si se fija, estos elogios ni siquiera son elogios, no usan la palabra *bien*, no hacen juicios. Simplemente son muestras de interés, de que nos gusta mirar sus dibujos. Y creo que esto no se puede ni se debe fingir. Olvidemos que los elogios al proceso pueden ser motivadores, no convirtamos la conversación con nuestros hijos en una estrategia de manipulación. Si a usted de verdad le interesa lo que hace su hijo, su hijo lo notará.

En cambio, los elogios generales a la persona pueden resultar desmotivadores. Nuestro hijo puede tener la sensación de que lo queremos o estamos orgullosos de él porque estudia (es decir, que si no estudiase...), o de que tiene que mantener un cierto nivel porque si baja perderá nuestro aprecio. Se siente presionado, y las cosas no se hacen bien bajo presión. Peor todavía si aprovechamos para presionarlo aún más descaradamente: «Sigue así, tú puedes sacar notas todavía mejores», «¡Vaya, qué habitación más ordenada, a ver si dura!».

Lo mismo ocurre con las críticas. Cuando sea necesario hacer una, es importante hacerla al proceso o al resultado («¿podrías repetir esta multiplicación?», «cuando recojas la habitación es importante que mires debajo de la cama, te has dejado los calcetines sucios», «estas casas te han quedado un poco torcidas»); pero nunca criticar a la persona («es que no te fijas», «eres una desordenada», «no pones interés, lo haces todo de cualquier manera»).

El periodista Po Bronson publicó en 2007 un interesante artículo[7] sobre este tema; puede leerlo (en inglés) en Internet.

Una de las principales investigadoras en este campo es la doctora Carol Dweck, de la Universidad de Columbia, y pienso que vale la pena explicar con detalle uno de sus principales estudios.[8]

---

7. Bronson, P., «How not to talk to your kids». New York Magazine, 3 de agosto de 2007.

http://nymag.com/news/features/27840/

8. Kamins, M. L., Dweck, C. S.; «Person versus process praise and criticism: implications for contingent self-worth and coping». Dev Psychol, 1999, 35, 835-847.

http://psycnet.apa.org/journals/dev/35/3/835

Se trata de un estudio doble, por una parte sobre los efectos de las críticas, y por otra sobre los elogios. Cada uno se realizó sobre algo más de 60 niños de 5 a 6 años que asistían a una escuela. En ambos, un investigador adulto (que desconocía la hipótesis del estudio) planteaba a cada niño cuatro distintas situaciones, que luego representaban juntos por medio de un muñeco. El investigador explicaba primero al niño el «guion» del juego, en plan «jugaremos a que este muñeco es la maestra y este eres tú, y la maestra te ha dicho que...».

Por ejemplo, en una de las cuatro situaciones la maestra-muñeco le dice al niño-muñeco que guarde los bloques de construcción con los que ha estado jugando.

> De verdad que querías hacerlo bien, pero al ver lo que habías hecho, pensaste «uy, uy, los bloques están todos torcidos y amontonados sin orden»; pero has trabajado mucho para guardarlos, y le dices a la seño: «señora Billington, ya he guardado los bloques». La maestra mira y dice: «los bloques están todos torcidos y amontonados de cualquier manera».

El experimentador explica el guion precedente al niño, y entonces empiezan a representarlo, cada uno con un muñeco. Al final, el muñeco que hace de maestra le dice al muñeco que hace de niño un comentario negativo, de un tipo previamente elegido al azar que se repetía en las cuatro situaciones para el mismo niño:

- Crítica a la persona: «Estoy decepcionada contigo». Es una crítica moderada, pero los investigadores consideraron que decir «eres malo» era una crítica demasiado feroz y traumática para el niño, incluso en una situación simulada con muñecos.
- Crítica al resultado: «Esta no es la manera correcta de hacerlo» o una versión con explicación, «esta no es la manera correcta de hacerlo porque los bloques no están alineados y siguen desordenados». Como se vio que ambas respuestas producían efectos similares, se analizaron juntas.

- Crítica al proceso: «A lo mejor podrías hacerlo de otra manera», pronunciado en tono de crítica.

Es decir, cada uno de los niños ha pasado por las cuatro situaciones de juego; unos niños han oído cuatro críticas al proceso, otros cuatro, críticas al resultado, otros, cuatro críticas a la persona. Después se planteaba a cada niño una situación similar, pero sin final. La maestra le ha pedido al niño que haga una casita de Lego, el muñeco-niño se ha olvidado de hacer ventanas, la maestra-muñeco dice «oh, no hay ventanas», e inmediatamente se proponían al niño una serie de preguntas:

- Valorar la casita «realizada» (virtualmente).
- Valorarse a sí mismos. «¿Lo que ocurrió en la historia te hace pensar que eres un niño o niña bueno, o no; amable o no, listo o no?»
- Identificar emociones. «¿Cómo te hace sentir lo que ocurrió con la casita de Lego?», y tenían que elegir entre varias caras más o menos alegres o tristes.
- Capacidad de persistencia. «¿Te gustaría volver a hacer la casita, o mejor otra cosa?» También se le daban al niño los dos muñecos y se le preguntaba cómo seguiría la historia, para ver si espontáneamente se le ocurría volver a hacer la casita.
- Ideas generales sobre la maldad. Se les planteaba la situación de que entrase en la clase un niño o niña nuevo, que les quitaba los lápices, les rayaba los papeles y los insultaba. «¿Crees que siempre se comportará así?». Otro imaginario niño nuevo llega a clase y hace mal las fichas, «¿significa eso que es malo?». Con estas preguntas se pretendía saber si los niños pensaban que el ser «bueno» o «malo» es una característica fija, o bien la gente puede cambiar, y también si pensaban que la calidad moral de un individuo se mide por su éxito, o bien la gente «buena» puede cometer errores

sin dejar de ser buena. Complejas ideas éticas y filosóficas;
pero los niños pequeños tienen ideas complejas, solo hemos
de molestarnos en prestarles atención.

Los investigadores se tomaron muchas molestias para asegu-
rarse de que los niños no quedaban con un mal sabor de boca.
Después de todas las pruebas, y ya «fuera de concurso», se repi-
tieron todas las situaciones pero con resultados positivos y comentarios orientados al proceso. Se hizo que todos los niños se que-
dasen con la sensación de haber hecho un buen trabajo ayudando
a mejorar el cuento. Y todo ello para no dejar al niño preocupado por un «fracaso» imaginario en una situación de juego. Me
deja impresionado el grado de respeto que mostraron los investigadores hacia los niños. Me temo que muchos padres (y maestros)
no tenemos el mismo cuidado en la vida real.

Pues bien, los niños que habían recibido críticas al proceso va-
loraban significativamente mejor su imaginaria casita de Lego, se
sentían mejores y más alegres, y estaban más dispuestos a volverlo a intentar que los que habían recibido críticas personales. Las
críticas al resultado causaban efectos intermedios.

A ver si queda claro: son precisamente los que creen que lo han
hecho mejor los que están más dispuestos a volverlo a intentar
para hacerlo mejor aún. Los que han recibido críticas personales
parecen pensar «soy malo haciendo casitas, más vale que lo deje
correr, no sirvo para esto».

Al darles la oportunidad de inventar un final para la historia,
los que habían recibido críticas personales tendían a decir cosas
como «llorará y se irá a la cama» o «deberían enviarlo al sillón
de pensar», mientras que los que recibieron una crítica al proceso
decían cosas como «haré otra casita con ventanas» o «cortaré
ventanas de papel y se las pegaré».

Además, los que habían recibido críticas personales tenían una
tendencia claramente mayor a pensar que un niño «malo» seguirá
siendo malo, o que el que hace mal las fichas es porque es «malo».

Claro, todo eso no es más que lo que el niño piensa en ese momento, justo cuando acaba de pasar por la experiencia de recibir, cuatro veces seguidas, críticas de un tipo o de otro. Por supuesto que esos sentimientos y esas opiniones pueden cambiar, el estudio precisamente prueba que han cambiado tras un rato de jugar con muñecos. No piense, por tanto, tonterías del tipo «un día le dije a mi hija que era mala, o tonta, y habrá quedado traumatizada para toda la vida». No hay nada de eso.

Pero, claro, si esa experiencia se repite día tras día, año tras año, cientos y miles de veces, en casa o en la escuela o (peor aún) en ambos sitios, probablemente sí que llegará a marcar de forma duradera la personalidad de su hija. Así que ya sabe, intente desterrar de su vocabulario el «¡eres un desastre!», el «mamá está muy enfadada», el «no seas mala», el «es que no te fijas en las cosas», el «¡qué paciencia tengo que tener contigo!», y substitúyalos por «habría que acabar de guardar los juguetes», «¿puedes repasar esa división?», «cuidado, que los zapatos están embarrados y se ensuciaría el sofá»...

La segunda parte del estudio de Dweck, sobre los elogios, es muy similar. Se planteaban a cada niño, por medio de muñecos, las mismas cuatro situaciones, pero con final feliz: los bloques quedaban bien ordenados en su caja, y los niños recibían después alguno de los siguientes elogios:

- A la persona: «Estoy muy orgulloso de tí», «Eres una niña buena» o «eres muy buena haciendo esto» (los tres daban resultados similares).
- Al resultado: «Así se hace».
- Al proceso: «Te has esforzado mucho» o «Has encontrado una buena manera de hacerlo; ¿se te ocurren otras formas de hacerlo que también funcionen?» (también producían efectos similares).

El objetivo en este caso era averiguar si los distintos tipos de elogio afectarían a la forma en que los niños afrontarían una situación de fracaso después de las cuatro situaciones de éxito. Antes de empezar, y de nuevo después del tercer éxito, se le hacían al niño las preguntas que hemos visto antes sobre valoración de su trabajo, de sí mismos y de sus emociones. Se comprobó que no había diferencias significativas antes y después de los elogios. Es decir, aparentemente no ocurría nada.

Tras los cuatro «éxitos» , se presentaba la historia de la casita de Lego sin ventanas, y se hacían las mismas preguntas sobre evaluación de la casita, de sí mismos, de sus emociones, persistencia e ideas generales sobre la maldad.

Finalmente, se presentaron a los niños dos situaciones de fracaso (escribir números y hacer un dibujo), en los que el muñeco maestro se limitaba a decir que había un error, sin ningún otro comentario. Y de nuevo se midió su persistencia, dándoles a elegir entre repetir una de las tareas en las que habían tenido éxito o el dibujo que había salido mal, y con una pregunta abierta, «¿qué harías ahora?».

De nuevo, los niños que habían recibido elogios al proceso se sentían más satisfechos con su casita sin ventanas y con ellos mismos, más felices y más dispuestos a intentar de nuevo la casita y hacerla mejor esta vez que los que habían recibido elogios a la persona, y también tenían más fe en la capacidad de la gente para mejorar: los «malos» pueden hacer cosas buenas, y los que se equivocan no por ello se convierten en «malos». Los elogios al resultado producían efectos intermedios.

Es solo un pequeño esfuerzo, decir cosas como «has estudiado mucho» o «me gusta cómo has dejado la habitación» en vez de «¡qué lista eres!» o «eres muy ordenado». Que nuestros hijos vayan aprendiendo desde pequeños que los valoramos por su trabajo, aunque no siempre consigan el objetivo; que sus buenos resultados son fruto de su esfuerzo y no de unas capacidades innatas que les han tocado en suerte; que ante las dificultades es posible volverlo a intentar en vez de abandonar.

La hiperactividad

Cuando yo era niño, no se conocía la hiperactividad. Los especialistas ya empezaban a hablar, a finales de los años sesenta, de niños hiperactivos o hipercinéticos, pero desde luego la idea no había llegado aún a la mayoría de los médicos, y mucho menos a los maestros, a los padres y el público en general.

En mi clase éramos unos cincuenta niños. Todos varones (entre los cuales la hiperactividad se supone más frecuente, el triple que en mujeres). Estadísticamente debería haber habido en nuestra clase casi un 10 % de niños con trastorno por déficit de atención con hiperactividad, TDAH (en inglés, *atention deficit-hiperactivity disorder*, ADHD). Debería haber habido cinco niños hiperactivos (más, según algunos); pero no había ninguno.

No solo no había ningún niño en mi clase diagnosticado como hiperactivo. Es que no logro recordar a ninguno que ahora, visto desde la distancia, me haga pensar «Fulanito, menudo uno, seguro que era hiperactivo». Por supuesto, había niños más tranquilos y otros más movidos; había unos que se «portaban bien» y otros que no tanto, había unos que sacaban buenas notas y otros que suspendían (pero como la incidencia de fracaso escolar ha aumentado desde entonces, no parece que el diagnóstico y tratamiento de la hiperactividad haya mejorado mucho ese problema). Por supuesto que algunas veces estábamos atentos en clase, y otras no. Recuerdo haber pasado horas muy agradables miran-

do por la ventana, charlando con el de al lado o jugando a bar-
quitos.

Hoy en día hay muchísimos niños diagnosticados como hiperactivos, y muchos de ellos medicados de forma crónica con anfetaminas y otros psicofármacos. Una madre me comentaba: «me
dijeron en la escuela que por qué no le daba esas pastillitas que
hay ahora para que se estén quietos, que varios niños en su clase
las toman y van de maravilla».

Supongo que existen algunos niños en los que la hiperactividad
es realmente una enfermedad y que algunos de ellos se benefician
de un tratamiento. Pero también pienso que muchos expertos considerados serios están diagnosticando y tratando a demasiados niños con criterios demasiado amplios. Y estoy seguro de que, más
allá de esos expertos serios, hay también muchos profesionales,
muchos padres y muchos maestros diagnosticando y tratando (o
pidiendo el diagnóstico y el tratamiento) para niños a los que
aquellos mismos expertos serios, los más entusiastas del tratamiento, jamás tratarían.

Solo así se explican la explosión de la «epidemia» de hiperactividad y las abismales diferencias en la incidencia de la enfermedad a lo largo del tiempo y del espacio. Según los datos presen-
tados por los Centers for Disease Control (CDC) en su página
web (http://www.cdc.gov/ncbddd/adhd/data.html), en el año 2007
el 9,5 % de los niños norteamericanos entre cuatro y diecisiete
años habían sido diagnosticados de TDAH. Y de ellos, dos tercios
recibían medicación. Más de cinco millones de «enfermos», de
ellos casi tres millones medicados.

La incidencia era mayor en los varones (13,2 %) que en las niñas (5,6 %), pero además, una vez diagnosticado, un chico tiene
2,8 veces más probabilidades de recibir medicación que una chica.

La distribución dentro de los Estados Unidos es muy variable.
Hay estados, como Carolina del Norte o Alabama, donde están
diagnosticados como hiperactivos más del 14 % de los niños, mientras que en otros, como California o Utah, no llegan al 7 %. En

Carolina del Norte tomaban medicación el 9,4 % de la población infantil, frente a solo el 1,2 % en Nevada o 2,3 % en California.

Los CDC nos informan de que la tasa de diagnóstico se ha incrementado en un 3 % anual entre 1997 y 2007 (un 3 % sobre la tasa anterior, no sobre el total de niños; es decir, no un aumento, por ejemplo, del 5 % al 8 %, sino del 5 % al 5,15 % en un año). Nada hace pensar que el aumento se vaya a detener.

Y en efecto, el 31 de marzo de 2013, *The New York Times* publica su propio análisis de nuevos datos recogidos por los CDC, con encuestas a setenta y seis mil padres norteamericanos en 2011 y 2012.[1] En el instituto, entre los catorce y los diecisiete años, han sido diagnosticados el 10 % de las chicas y el 19 % de los chicos. Uno de cada cinco adolescentes varones norteamericanos está oficialmente enfermo de hiperactividad. Y las diferencias entre estados siguen siendo enormes, alrededor del 23 % en Carolina del Sur o Luisiana, menos del 10 % en California o Nevada.

El concepto de «enfermedad»

¿Cómo se pueden explicar esas diferencias dentro de un mismo país? Nadie parece creer que de verdad los niños de Carolina del Norte estén mucho más enfermos que los de California. Lo que ocurre es que los médicos y psicólogos de Carolina tienen más costumbre de diagnosticar hiperactividad y tratarla con medicamentos, o tal vez que los maestros y profesores de Carolina tienen más costumbre de decir a los padres que lleven a su hijo al médico porque su conducta no es normal.

---

1. Schwarz, A., Cohen, S.; «A. D. H. D. seen in 11% of U. S. children as diagnoses rise». *The New York Times*, 31 de marzo de 2013.

www.nytimes.com/2013/04/01/health/more-diagnoses-of-hyperactivity-causing-concern.html

El problema es que a menudo resulta difícil decidir quién está enfermo y quién no. Incluso resulta difícil decidir qué constituye una enfermedad y qué no.

En general, una enfermedad es una alteración de nuestro organismo que produce dolor, sufrimiento, incapacidad, invalidez o muerte.

Probablemente todo el mundo está de acuerdo en que una persona está enferma si tiene un hueso roto, una pulmonía o un cáncer. (Bueno, no todo el mundo. Se podría argumentar que una persona puede estar sana pero tener un hueso roto; las heridas y traumatismos no son exactamente «enfermedades»). Y probablemente todo el mundo estaría de acuerdo en que el pelo rubio, los ojos azules o la nariz aguileña no son enfermedades. Pero ¿son enfermedades la caspa o la calvicie? Pues dependerá de las opiniones de cada uno. Quienes crean que la salud consiste en tener pelo en la cabeza y no tener caspa pensarán que la alopecia y la dermatitis seborreica son enfermedades. Otros pueden pensar que tener pelo o no tenerlo son simplemente dos posibilidades igual de normales en el ser humano, lo mismo que ser rubio o moreno. Algunos opinarán que la alopecia es normal a partir de una cierta edad, pero debe considerarse una enfermedad en el niño y adolescente. Otros pensarán que la alopecia es normal en varones, pero no en mujeres. Unos aducirán que ser calvo no acorta la vida, no duele y no incapacita al sujeto, y por tanto no es una enfermedad. Pero otros podrán decir que algunos calvos son objeto de mofa, o sufren vergüenza o baja autoestima («están acomplejados», como se decía hace unos años), y por lo tanto la calvicie produce sufrimiento y es una enfermedad.

¿Son enfermedades la hipertensión arterial o el colesterol elevado? Probablemente sí en sus grados extremos, la crisis hipertensiva que produce rápidamente afectación cerebral y renal, o algunas hiperlipidemias hereditarias que dan niveles muy altos y graves complicaciones. Pero, estrictamente hablando, la presión y el colesterol elevados no son habitualmente enfermedades, sino solo factores de riesgo, que a la larga aumentan la probabilidad de sufrir una enfermedad de verdad, como la angina de pecho o la embolia cerebral.

También la piel blanca es un factor de riesgo que aumenta la incidencia de cáncer de piel, pero nadie piensa que ser de raza blanca sea una enfermedad. Si en vez de haber en el mundo cientos de millones de personas con la piel blanca, fuéramos todos negros y de vez en cuando naciese un niño blanco, digamos uno de cada cinco mil, ¿no lo consideraríamos una enfermedad? Probablemente se llamaría *hipopigmentación cutánea familiar* o *déficit congénito de melanina*, debida a una mutación en alguno de los genes que regulan el funcionamiento de los melanocitos, y se consideraría una enfermedad que facilita las quemaduras solares y el cáncer de piel, además de producir rechazo social y baja autoestima.

Si admitiéramos que la hipertensión o el colesterol alto son enfermedades, nos encontraríamos con otro problema: cuál es el límite de la normalidad. Eso ocurre en todas las enfermedades cuya definición se basa en la medición de un valor sobre una escala continua. La neumonía, el cáncer, la varicela, se pueden considerar enfermedades dicotómicas: o la tienes, o no la tienes. Pero el colesterol, la hipertensión, el enanismo, la obesidad, la pubertad precoz o la anemia se basan en una escala continua; de forma arbitraria definimos un nivel de hemoglobina en sangre que distingue a los sanos de los enfermos. ¿De verdad la persona que tiene 11,9 g/dl de hemoglobina está anémica, y la que tiene 12 está sana? De vez en cuando, a un comité de expertos se le ocurre modificar la definición, y de un plumazo millones de personas pasan de sanas a enfermas o viceversa.

Puede que todo esto resulte sorprendente, casi escandaloso, para algunos lectores. Nos gustaría pensar que estar sano y estar enfermo son cosas objetivamente distintas, y que los médicos saben cómo distinguir (¡y curar!) a los enfermos. En realidad, los médicos llevan décadas preocupados por la dificultad para definir la enfermedad (véase el artículo de Campbell,[2] ya en 1976, o el más reciente de Smith),[3] y en los últimos tiempos el problema se ha visto agravado por el *marketing* de la industria farmacéutica: las enfermedades se publicitan, se «venden», se potencian o simplemente se inventan después de inventar el medicamento que las cura. Casi nadie hablaba de impotencia antes de inventarse el viagra; después el tema empezó a aparecer regularmente en la prensa y en la televisión, algunos famosos salieron del armario para confesar su problema y ayudar a otros hombres a «tomar conciencia», y pronto se inventó un nombre, «disfunción eréctil», más bonito que «impotencia». Otras enfermedades ampliamente publicitadas son la menopausia, la andropausia, la fobia social (antes llamada *timidez*)... Si le interesa el tema, le recomiendo el libro *Los inventores de enfermedades*, de Jörg Blench,[4] o el número monográfico que la revista científica *PLoS Medicine* dedicó en abril de 2006 a la promoción o venta de enfermedades, *disease mongering* (www.ploscollections.org/downloads/plos_medicine_diseasemongering.pdf).

El que una situación se considere o no enfermedad tiene importantes implicaciones positivas y negativas, y los intereses comerciales no son los únicos en juego. Algunos cirujanos que ponen prótesis mamarias aseguran que lo suyo no es simple cirugía estética, sino que están curando una enfermedad que produce gran sufrimiento a sus víctimas: la hipomastia («pechos pequeños»). Mientras algunas personas, como los homosexuales, luchan contra la etiqueta de enfermedad e insisten en que están perfectamen-

2. Campbell, E. J. M., Scadding, J. G., Roberts, R. S.; «The concept of disease». *BMJ*, 1976, 2, 757-762.
www.ncbi.nlm.nih.gov/pmc/articles/PMC1596412/pdf/brmedj00093-0009.pdf
3. Smith, R., «In search of "nondisease"». *BMJ*, 2002, 324, 883-885.
www.ncbi.nlm.nih.gov/pmc/articles/PMC1122831/pdf/883.pdf
4. Blench, J., *Los inventores de enfermedades*. Destino, Barcelona, 2005.

te sanos, otros, como los afectados por «sensibilidad química múltiple», luchan por ser reconocidos como enfermos, pues eso representa obtener comprensión, apoyo, tratamiento, tal vez la baja médica, y sobre todo que se reconozca que «de verdad tienen algo», que no están locos (aunque el estar loco sería de por sí una enfermedad, pero para muchos la enfermedad mental tiene todavía connotaciones negativas, y prefieren tener una enfermedad orgánica). En otros casos, el ser considerado sano o enfermo puede tener importantes consecuencias morales e incluso penales; no es lo mismo ser un borracho que un alcohólico, un jugador que un ludópata, un incendiario que un pirómano.

Considerar que la hiperactividad es una enfermedad puede tener consecuencias positivas. El niño hiperactivo ya no es plenamente responsable de sus actos, ya no le pueden (al menos en teoría) reñir y castigar como «gamberro». En vez de gritos y reproches, merece respeto y ayuda especial. Pero también puede haber consecuencias negativas: estigma social, tal vez dificultades para ser admitido en ciertos colegios, incluso más adelante para encontrar trabajo, disminución de la autoestima, sensación de no ser «normal»... y, sobre todo, en mi opinión, la posibilidad de ser tratado con anfetaminas y fármacos similares durante años (aunque, por supuesto, los partidarios de tales tratamientos afirmarán que esa es precisamente la gran ventaja de ser diagnosticado como hiperactivo).

El campo de la psiquiatría se presta especialmente a la aparición de enfermedades controvertidas. ¿Dónde está el límite entre ser «distinto» o «raro» y estar «loco»? Un profesor mío de psiquiatría decía: «la humanidad se divide en psicóticos, que son los locos, y neuróticos, que son los cuerdos».

Cuando la enfermedad es orgánica, el límite puede ser arbitrario, pero al menos se puede medir de forma más o menos objetiva: podemos saber si la presión está por encima o por debajo de

14/9, o si la glucemia (azúcar en la sangre) en ayunas está por encima o por debajo de 126. Pero ¿cómo saber si un niño es más activo o está menos atento de lo «normal»?

Y así la hiperactividad es precisamente una de las enfermedades «inventadas» (o al menos enormemente exageradas) de las que se habla en el libro de Blech, y la revista *PLoS* le dedicó un artículo entre las enfermedades «vendidas». Con el título «La medicina va a la escuela: los profesores como promotores de la enfermedad para el TDAH»,[5] Christine Phillips explica que los maestros tienen un importante papel en la detección, diagnóstico e incluso tratamiento de la hiperactividad (pues a menudo les toca a ellos administrar la medicación), y que pueden influir sobre los padres para que acepten o rechacen el diagnóstico o el tratamiento. Por ello la industria farmacéutica intenta influir sobre los profesores, sea directamente, sea a través de fundaciones y asociaciones sin ánimo de lucro generosamente subvencionadas por la industria. La autora pone ejemplos en lengua inglesa, no es difícil encontrar otros similares en lengua española:

www.tdahmexico.com
www.trastornohiperactividad.com
http://www.tdah.net/

Los tres contienen materiales específicos para maestros y también para las familias. La primera es una página de Novartis, la segunda (que incluye un «test de autodiagnóstico») de Janssen, la tercera de Rubió. Los tres fabrican el mismo medicamento, metilfenidato, bajo sus principales nombres comerciales, Ritalín, Concerta y (en España) Rubifén.

---

5. Phillips, C. B., «Medicine Goes to School: Teachers as Sickness Brokers for ADHD». *PLoS Med*, 2006, 3, e182.
www.plosmedicine.org/article/info:doi/10.1371/journal.pmed.0030182

Phillips señala que «la promoción de fármacos disfrazada de formación para profesionales es tan común en el ámbito médico que muchas universidades enseñan a los estudiantes de medicina a criticar los materiales promocionales», y propone que los estudiantes de magisterio reciban el mismo tipo de formación.

La *mala prensa* de la hiperactividad

En el mismo número monográfico de la revista *PLoS* aparece un artículo de Steven Voloshin y Lisa Schwartz sobre la forma en que los medios de comunicación han sido usados en la campaña de venta de otra enfermedad, el síndrome de las piernas inquietas.[6] La enfermedad existe, se trata de gente que necesita levantarse a media noche y caminar un rato porque nota una desagradable sensación en las piernas. Por supuesto, el problema puede ser grave cuando los episodios son intensos y frecuentes y causan insomnio y sufrimiento, y algunas personas pueden necesitar ayuda médica y beneficiarse de un tratamiento. Pero para el laboratorio Glaxo-SmithKline, que había inventado un nuevo tratamiento (ropinirol), el número de enfermos espontáneos no era suficiente, y en 2003 inició en los Estados Unidos una campaña de «concienciación» sobre las piernas inquietas. Había que convencer a miles de personas que tenían síntomas leves, que nunca se habían preocupado por ello y que nunca habían consultado a un médico por ese motivo, de que tenían una enfermedad y necesitaban un medicamento.

Voloshin y Schwartz analizaron treinta y tres artículos sobre

---

6. Woloshin, S., Schwartz, L. M.; «(2006) Giving legs to restless legs: A case study of how the media helps make people sick». *PLoS Med*, 2006, 3, e170.
www.plosmedicine.org/article/info%3Adoi%2F10.1371%2Fjournal.pmed.0030170

las piernas inquietas aparecidos en los principales diarios norteamericanos entre 2003 y 2005. Agruparon las estrategias publi-
citarias en tres grandes grupos:

- **Exagerar la prevalencia** (frecuencia) de la enfermedad: aceptar de forma acrítica la definición de la enfermedad y unas
  supuestas cifras de prevalencia muy altas (¡doce millones de
  norteamericanos!), destacar las consecuencias más graves,
  ofrecer anécdotas solo de los pacientes más graves (¡puede
  llevar al suicidio!).
- **Fomentar el diagnóstico**: se dice que los médicos no conocen la enfermedad, que los pacientes no son conscientes de
  su problema; se hacen elogios de asociaciones sin ánimo de
  lucro sin explicar que están subvencionadas por la industria;
  se promueve el autodiagnóstico, no se menciona el riesgo
  de sobrediagnóstico (de convertir en «enfermos» a personas
  que se sentían bien y vivían felices).
- **Sugerir que el tratamiento** farmacológico es necesario en todos los casos: los beneficios del medicamento se exageran
  con descripciones puramente anecdóticas, curaciones poco
  menos que milagrosas, sin dar cifras concretas de eficacia.
  No se dan cifras de posibles efectos secundarios, o no se
  mencionan en absoluto. No se menciona la ausencia de estudios a largo plazo.

No piense el lector que se está hablando de periodistas paga-
dos para publicar mentiras. Eso, si existe, debe de ser muy raro.
Estoy seguro de que la mayoría de esos artículos han sido publicados de buena fe. Los periodistas reciben comunicados de prensa, prácticos resúmenes que les facilitan el trabajo, son invitados
a conferencias y congresos, escuchan a expertos entusiastas... Y
los expertos entusiastas probablemente tampoco están corrompi-
dos, tampoco están mintiendo a cambio de dinero. Simplemente,
como en cualquier actividad humana, las personas tienen distintas

opiniones. Los laboratorios farmacéuticos buscan médicos cuyas opiniones les convienen, y les ayudan: les pagan congresos, les conceden becas de estudio o de investigación, los asesoran y apoyan para investigar. Esos médicos se forjan una reputación y una brillante carrera (el número de publicaciones científicas es un criterio importante para ascender en la profesión, para convertirse en profesor o en jefe de servicio). El partidario de un determinado tratamiento acaba convirtiéndose en experto en el tema, lo invitan a dar conferencias (muchas veces subvencionadas por los laboratorios), y los periodistas lo escuchan y lo entrevistan.

El 22 de enero de 2013 el diario *El Mundo* publicó un artículo sobre la hiperactividad (www.elmundo.es/elmundosalud/2013/01/21/psiquiatriainfantil/1358790528.html). Pocos días antes mi editora me había recomendado hablar del tema en mi libro, así que el titular llamó mi atención en un resumen de prensa en Internet: «Perderle el miedo a la hiperactividad». Perderle el miedo, me dije, porque tampoco es un problema tan grave, ni requiere tanta medicación. Pero, oh, sorpresa, el artículo dice todo lo contrario: hay que perderle el miedo a diagnosticar el TDAH, hay que perderle el miedo al uso de psicofármacos en niños.

Y así es como se cierra el círculo. Empecé a buscar información a partir de un artículo en un periódico, y he llegado hasta un artículo científico que analiza la promoción de enfermedades en la prensa.

El artículo de *El Mundo* surge a raíz de la publicación de un estudio por el Dr. Getahun y colaboradores,[7] de la Fundación Kaiser Permanente (una especie de mutualidad sanitaria en Estados

---

7. Getahun, D., Jacobsen, S. J., Fassett, M. J., Chen, W., Demissie, K., Rhoads, G. G.; «Recent trends in childhood attention-deficit/hyperactivity disorder». *JAMA Pediatr,* 2013, 21, 1-7.

Unidos, que dispone de varios hospitales). La principal conclusión del estudio es que, entre más de ochocientos mil niños atendidos por la organización entre 2001 y 2010, el 4,9 % fueron diagnosticados de TDAH, y la cifra había aumentado «notablemente» a lo largo de esos años. Los blancos tenían casi el doble de TDAH que los hispanos, y los negros estaban un poco en medio. Y ya está, no hay más «noticia», no es que hayan descubierto la cura ni nada por el estilo. Este tipo de noticias médicas, a veces bastante insubstanciales, a veces demasiado prematuras, solo llegan a los diarios generales porque las principales revistas médicas emiten regularmente comunicados de prensa.

El periodista español cita correctamente a Getahun al hablar de «dimensiones epidémicas»; pero luego cita a varios expertos españoles, y una de ellas dice que «la prevalencia de TDAH en edad infantil en España ronda entre el 5 % y el 7 %, un porcentaje que está dentro de la media mundial y que se mantiene estable desde hace décadas» (en realidad, la cifra de diagnósticos y la de tratamientos farmacológicos se ha disparado en los últimos años, lo mismo en España que en los Estados Unidos. Es de creer que la experta consultada se acoge a la teoría de que todos esos niños hiperactivos ya estaban ahí, pero sin diagnosticar). Nombran a Ramón y Cajal como ejemplo de niño hiperactivo (parece que no le fue tan mal sin tratamiento, diría yo). Otra experta afirma que «la medicación es la primera opción en el 80 % de estos pequeños» y también insiste en «desmitificar la mala imagen que arrastran estos fármacos». Otro apunta: «En mi opinión, el reto actual son los niños no diagnosticados. En demasiados casos, ni los familiares, ni sus educadores reconocen el problema».

Vemos varios de los rasgos señalados por Voloshin en los artículos que publicitan enfermedades. Se fomenta el diagnóstico, se advierte que el problema no se reconoce, se recomienda el tratamiento farmacológico generalizado, no se mencionan (es más, se niegan) los posibles efectos secundarios...

El entusiasmo de los expertos contrasta con la frialdad de la ficha técnica. Todos los medicamentos tienen un prospecto, el papelito que viene en la caja, y una ficha técnica, un documento bastante más largo con información destinada a los médicos. Hay quien todavía piensa que los laboratorios ponen en el prospecto lo que les da la gana, pero no es así (al menos ya no es así desde hace años). Son documentos muy serios, supervisados y aprobados por las autoridades sanitarias, e idénticos para todos los países de la Unión Europea. La ficha técnica y el prospecto de todos los medicamentos pueden consultarse en la web de la Agencia Española de Medicamentos y Productos Sanitarios: http://www.aemps.gob.es/cima.

Acabamos de leer que, según una experta, «la medicación es la primera opción». Pero la ficha técnica del metilfenidato afirma:

El tratamiento con metilfenidato no está indicado en todos los niños con TDAH y la decisión de usar el fármaco debe basarse en una evaluación muy completa de la gravedad y cronicidad de los síntomas en relación con la edad de los niños.

La seguridad y eficacia del uso a largo plazo [más de doce meses] del metilfenidato no se ha evaluado de forma sistemática en estudios controlados.

Metilfenidato no debe utilizarse en niños menores de seis años de edad. No se han establecido la seguridad y eficacia en este grupo de edad.

Para los efectos secundarios, a los que nos han dicho que «hay que perder el miedo», citaré el prospecto de Concerta 27 mg, porque la ficha técnica se hace demasiado larga:

Frecuentes (puede afectar hasta una de cada diez personas)
Latidos cardíacos irregulares (palpitaciones).
Cambios o alteraciones del estado de ánimo o cambios de personalidad.

Poco frecuentes (puede afectar hasta una de cada cien personas)
Pensamientos o sentimientos suicidas.

Ver, sentir u oír cosas que no son reales, son síntomas de psicosis.

Habla y movimientos del cuerpo descontrolados (síndrome de Tourette).

Signos de alergia como sarpullido, picor o urticaria en la piel, hinchazón de la cara, labios, lengua u otras partes de cuerpo, respiración entrecortada, dificultad o problemas para respirar.

Raros (puede afectar hasta una de cada mil personas)

Sentirse excepcionalmente exaltado, más activo de lo normal y desinhibido (manía).

Muy raros (puede afectar hasta una de cada diez mil personas)

Infarto.

Muerte súbita.

Intención suicida.

Crisis (ataques, convulsiones, epilepsia).

Descamación de la piel o manchas rojas purpúreas.

Inflamación o bloqueo de las arterias en el cerebro.

Espasmos musculares incontrolados que afectan a los ojos, la cabeza, el cuello, el cuerpo y el sistema nervioso como consecuencia de la falta de circulación sanguínea al cerebro.

Disminución del número de células sanguíneas (glóbulos rojos, glóbulos blancos y plaquetas) que puede causar más riesgo de coger infecciones, y provocar más fácilmente sangrado y moretones.

Aumento repentino de la temperatura corporal, tensión arterial muy alta y convulsiones graves (síndrome neuroléptico maligno). No es totalmente seguro que este efecto adverso sea causado por metilfenidato u otros medicamentos tomados en combinación con metilfenidato.

No conocida (la frecuencia no puede ser estimada de los datos disponibles)

Pensamientos no deseados que reaparecen.

Desvanecimiento inexplicado, dolor en el pecho, respiración entrecortada (pueden ser signos de problemas cardíacos).

Parálisis o problemas con el movimiento y la vista, dificultad en el habla (pueden ser signos de problemas de los vasos sanguíneos en su cerebro).

Esta es solo la lista de los efectos secundarios potencialmente graves. Hay otra lista aún más larga de efectos secundarios habitualmente leves, como dolor de cabeza, sensación de nerviosismo y dificultad para dormir (más de uno de cada diez), o desorientación, confusión o visión doble (hasta uno de cada mil).

Desde luego, los efectos secundarios muy raros son eso, muy raros. No deberían asustarnos cuando el medicamento es realmente necesario para tratar una enfermedad grave. Y las palpitaciones, aunque sean muy frecuentes, no suelen tener importancia. Pero el que uno de cada cien pacientes pueda presentar ideas suicidas o alucinaciones no me parece que sea para «perderle el miedo a la medicación».

En 2012, François Gonon y sus colaboradores, del Centro Nacional de Investigación Científica de Burdeos, publicaron un artículo titulado «Por qué la mayoría de los hallazgos biomédicos recogidos en los periódicos resultan ser falsos: el caso del trastorno por déficit de atención con hiperactividad».[8] Es pura coincidencia; los autores no están directamente interesados en el TDAH, sino que simplemente lo han tomado como un ejemplo para analizar las noticias científicas en la prensa general.

Para ello, y consultando una base de datos que cubre cientos de periódicos en lengua inglesa, identificaron los diez artículos de investigación sobre TDAH que más eco habían alcanzado en la década de los noventa. En total, encontraron doscientas veintitrés noticias de prensa sobre esos diez artículos. Luego buscaron en la

---

8. Gonon, F., Konsman, J. P., Cohen, D., Boraud, T.; «Why most biomedical findings echoed by newspapers turn out to be false: the case of attention deficit hyperactivity disorder». PLoS One, 2012, 7, e44275.
www.plosone.org/article/info%3Adoi%2F10.1371%2Fjournal.pone.0044275

base de datos de publicaciones científicas otros estudios posteriores (encontraron sesenta y siete) sobre los mismos temas y analizaron si esos nuevos datos confirmaban o desmentían los diez estudios iniciales. Finalmente, identificaron todas las noticias de prensa (solo encontraron cincuenta y siete) que se hacían eco de esos sesenta y siete nuevos estudios.

Pues bien, de los diez estudios iniciales, solo dos fueron confirmados: que el azúcar y el aspartamo no producen hiperactividad, y que el consumo de metilfenidato aumentó en los Estados Unidos. Otro estudio, que pretendía que el metilfenidato producía efectos completamente distintos en niños hiperactivos o sanos, efectos visibles en una resonancia magnética, no ha sido confirmado ni se cree que lo sea jamás, porque el análisis detallado del estudio original indica que sus conclusiones son probablemente falsas. Tres han sido completamente refutados por investigaciones posteriores (en dos casos, por investigaciones de los mismos autores que hicieron el primer estudio). Ni el metabolismo cerebral de la glucosa estaba alterado, ni la resistencia genética a la hormona tiroidea tenía nada que ver con la hiperactividad, ni era posible detectar la hiperactividad mediante una tomografía computarizada por emisión de fotones individuales. Las conclusiones de otros cuatro estudios, aunque no refutadas, han sido muy atenuadas por los estudios posteriores: otro gen alterado que no influye tanto como se pensaba, los antidepresivos que no parecen tan útiles en la hiperactividad como sugería un primer estudio en ratones, el tratamiento con anfetaminas que no parece evitar que los pacientes acaben cayendo en la droga (volveremos a hablar de ello en la página 180) y, finalmente, el tratamiento farmacológico que no es tan superior a otros tratamientos como parecía (ver página 170). La mayoría de esos nuevos estudios que contradecían los resultados preliminares obtuvieron poco o ningún eco en la prensa general.

En conjunto, señalan Gonon y colaboradores, los diez estudios «estrella» favorecen una visión medicalizada y orgánica de la hiperactividad: genes, analíticas, tomografías, medicamentos..., nada, por ejemplo, sobre psicoterapia o técnicas de educación especial.

¿Y por qué, a fin de cuentas, la mayoría de las noticias sobre descubrimientos médicos resultan ser falsas? Tal vez, según Gonon, precisamente porque son noticias. Los diarios publican sobre todo hallazgos novedosos. Por desgracia, existe en medicina un fuerte sesgo de publicación: los estudios que dan resultados «positivos» (el medicamento que sí que cura, la prueba que sí que sirve para el diagnóstico, el gen que sí que estaba alterado...) tienen muchas más probabilidades de ser publicados en revistas científicas (el excelente libro de Ben Goldacre[9] analiza en profundidad las causas y las graves consecuencias de este problema). A veces, por motivos económicos, las compañías farmacéuticas pueden ocultar estudios que no les son favorables. Pero incluso cuando no hay dinero en juego, muchos científicos parecen pensar «total, no he descubierto nada, no vale la pena que lo publique». Como consecuencia, el primer estudio publicado sobre un determinado tema es probable que sea «positivo». Y los estudios negativos que aparezcan después ya no son «noticia».

Las causas del TDAH

Otro argumento que se da a favor (o en contra) de la validez de la hiperactividad como «verdadera enfermedad» es el de su posible base biológica. He encontrado el argumento en los dos bandos. Unos hablan de una probable base genética, y eso, dicen, sería prueba de que es una «verdadera» enfermedad.[10] Pero el argumen-

9. Goldacre, B., *Bad Pharma*. Fourth State, Londres, 2012.

10. Williams, N. M., Zaharieva, I., Martin, A., *et al.*; «Rare chromosomal deletions and duplications in attention-deficit hyperactivity disorder: a genome-wide analysis». *Lancet,* 2010, 376, 1401-1408.

http://www.ncbi.nlm.nih.gov/pmc/articles/PMC2965350

to es absurdo; muchos rasgos tienen base genética, como el color de los ojos o del pelo, y no por eso son enfermedades. Otros se van al otro extremo: la hiperactividad, dicen, no es una enfermedad porque no hay ningún análisis, ninguna radiografía, ninguna biopsia que salga alterada, porque todo está en la mente. Es un argumento igual de absurdo: muchas enfermedades mentales están solo en la mente; la psicosis maniaco-depresiva o la paranoia no se diagnostican con análisis o radiografías.

No, el hecho de que exista una base orgánica no tiene nada que ver con el hecho de que consideremos o no a la hiperactividad como una enfermedad. Y sí, se han encontrado alteraciones genéticas. Incluso existe la teoría de que la hiperactividad (interés disperso por múltiples sucesos, iniciativa para explorar y probar cosas nuevas, reacciones rápidas, desprecio del peligro...) podría haber tenido ventajas para la supervivencia del cazador prehistórico. Si no fuera así, si una alteración hereditaria solo causase problemas, difícilmente afectaría a un 5 % o 10 % de la población.

Quedan pocos cazadores prehistóricos, pero todavía nuestra sociedad permite a los adultos una amplia variedad de formas de vida. Unos, tal vez la mayoría, se pasan la vida sentados tras una mesa de despacho, pero otros se dedican al deporte o a la música, vigilan bosques, apagan incendios, patrullan o barren calles... Hay gente que se sienta todos los días durante cuarenta años en la misma silla y gente que coge el avión todas las semanas, hay quien pasa el día sin hablar con nadie y quien está todo el rato de cara al público en un mostrador. A todos los respetamos, cada cual tiene derecho a vivir su vida; a muchos que viven de forma poco convencional incluso los admiramos.

El que sale por la tele cazando serpientes y cocodrilos se moriría de aburrimiento si tuviera que trabajar cada día en un despacho. Y la funcionaria del registro civil se moriría de miedo si la enviasen a la selva de Malasia a cazar serpientes. Pero ambos fueron a la misma escuela, se sentaron juntos en el mismo pupitre, tuvieron que abrir el libro por la misma página para leer el mismo párrafo, hacer las mismas cuatro divisiones para el miércoles, responder a las mismas preguntas en los mismos exámenes... Siempre he pensado que los cazadores de cocodrilos lo debieron de pasar muy mal en la escuela. Si aceptamos que los adultos podemos vivir, trabajar o divertirnos de formas muy diferentes, ¿por qué creemos que todos los niños deben aprender del mismo modo y adaptarse al mismo tipo de escuela?

Sí, existe una base biológica, genética, para el TDAH. Pero no es una de esas cuestiones de genética básica, como el grupo sanguíneo o el Rh, sino que hay varios genes involucrados (y no se conocen todos), que interaccionan de forma variable con diversos factores ambientales (que tampoco se conocen totalmente). Del mismo modo que puede haber, por ejemplo, genes que predispongan a sufrir cáncer o hipertensión..., pero, con los mismos genes, el resultado es distinto si fumas o si no fumas, si tomas mucha sal o poca.

Así que, ante el hecho innegable de que en las últimas décadas ha aumentado espectacularmente el número de niños diagnosticados y tratados por TDAH, caben dos posibilidades:

1. Los niños de ahora son igual de hiperactivos que los de antes, solo que antes nadie se daba cuenta, no se diagnosticaban. O tenían otro nombre, se los llamaba *revoltosos*, *traviesos*, *gamberros*... O tal vez nuestra sociedad los toleraba mejor, y la hiperactividad no causaba tantos problemas.
2. Los niños de ahora son más hiperactivos que los de antes, y sí es así, ¿cuál es la causa? ¿Qué hemos hecho para poner a los niños nerviosos?

Probablemente hay un poco de ambas cosas. Nuestra sociedad exige cada vez una mayor uniformidad entre los niños, tolera peor a los que son distintos. Ahora, por ejemplo, la educación básica obligatoria dura hasta los dieciséis años. En mis tiempos era hasta los catorce. Y un siglo atrás, entrar de aprendiz en un taller a los diez o doce años se consideraba algo normal y honorable. Había opciones para los que no se adaptaban al entorno escolar, para los que «no servían para estudiar». Hoy en día, solo hay una alternativa al éxito: el fracaso escolar.

Tampoco era habitual hace unas décadas quedarse a comer en la escuela, ni hacer actividades extraescolares. Cada vez los niños tienen menos tiempo de juego libre, de hacer lo que quieren, y más tiempo de actividades organizadas y supervisadas por adultos. Antes solo teníamos maestros, ahora también hay entrenadores deportivos, monitores de ocio. No solo hay que estar seis horas al día sentado en un pupitre atendiendo al profesor, es que para pegarle patadas a un balón también tienes que escuchar explicaciones, seguir instrucciones, colocarte donde te dicen... Ya ni jugar pueden tranquilos, porque alguien les dice si están jugando «bien» o «mal».

Pero también estamos haciendo cosas que ponen a los niños más nerviosos: llevarlos a la guardería, dejarlos ver la tele en los primeros años, hiperestimularlos. Vayamos por partes.

En Estados Unidos, el NICHD (Instituto Nacional de Salud Infantil y Desarrollo Humano) comenzó a principios de los sesenta un estudio sobre el cuidado infantil inicial y el desarrollo juvenil. Más de mil niños en diez ciudades fueron seguidos de forma intensiva desde su nacimiento. Ya al entrar en preescolar, hacia los cuatro años y medio, se observó que los que habían pasado más tiempo en la guardería (o en otros tipos de cuidado fuera de la familia) tenían más problemas de agresividad, desobediencia y conflicto con los adultos, según las valoraciones de los maestros y de los propios padres. Los problemas persistían a los quince años (Vandell y cols.):[11] cuantas más horas pasadas en la guardería, más impulsividad y más conductas de riesgo (tabaco, alcohol y drogas).

---

11. Vandell, D. L., Belsky, J., Burchinal, M., Nathan, Vandergrift, Steinberg, L.; «NICHD Early Child Care Research Network. Do effects of early child care extend to age 15 years? Results from the NICHD study of early child care and youth development». *Child Dev*, 2010, 81, 737-756.
http://onlinelibrary.wiley.com/doi/10.1111/j.1467-8624.2010.01431.x/pdf

No estoy diciendo que los niños que han ido a la guardería se conviertan en delincuentes o drogadictos. Simplemente, que hay unas diferencias leves pero apreciables y estadísticamente significativas en las puntuaciones medias en una serie de valoraciones psicológicas. No estoy diciendo que ir a la guardería provoque hiperactividad. No he podido encontrar ningún estudio sobre ese tema. Pero creo que la impulsividad, la desobediencia y los conflictos con los adultos, aunque no sean un auténtico TDAH, pueden llevar a un falso diagnóstico, cuando evidentemente hay tantos falsos diagnósticos. Y tal vez el tener en la clase a varios niños que son, por término medio, algo más conflictivos contribuya a que los maestros pierdan la paciencia y manejen peor a los niños hiperactivos.

En cuanto a la televisión, Christakis y colaboradores, en 2004, en un estudio sobre más de mil niños norteamericanos, encontraron una relación entre el número de horas de ver la televisión al año y a los tres años de edad y los síntomas de hiperactividad a los siete años.[12] Es un tema controvertido; en 2006, Stevens y Mulsow no encontraron ninguna relación entre televisión e hiperactividad en otra muestra de cinco mil niños norteamericanos.[13] En 2010 Cheng y colaboradores sí que encontraron un efecto en casi quinientos niños japoneses:[14] los que a los dieciocho meses veían

12. Christakis, D. A., Zimmerman, F. J., DiGiuseppe, D. L., McCarty, C. A.; «Early television exposure and subsequent attentional problems in children». *Pediatrics*, 2004, 113, 708-713.
    http://pediatrics.aappublications.org/content/113/4/708.full.pdf
13. Stevens, T., Mulsow, M.; «There is no meaningful relationship between television exposure and symptoms of attention-deficit/hyperactivity disorder». *Pediatrics*, 2006, 117, 665-672.
    http://pediatrics.aappublications.org/content/117/3/665.full.pdf
14. Cheng, S., Maeda, T., Yoichi, S., Yamagata, Z., Tomiwa, K.; «Japan Children's Study Group. Early television exposure and children's behavioral and social outcomes at age 30 months». *J Epidemiol*, 2010, 20, Suppl 2, S482-489.
    https://www.jstage.jst.go.jp/article/jea/advpub/0/advpub_JE20090179/_pdf

más televisión tenían más síntomas de hiperactividad y menor actividad social a los treinta meses.

Swing y colaboradores, por su parte, estudiaron dos grupos, uno de mil trescientos niños (seis a doce años) y otro de doscientos adolescentes y adultos jóvenes (dieciocho a treinta y dos años),[15] y encontraron que los que pasaban más horas al día viendo la tele o jugando a videojuegos tenían más problemas para mantener la atención.

Ninguno de estos estudios es aleatorio (es decir, cada niño veía la televisión que quería o que sus padres le permitían, no la que le decía el investigador), por lo que no se puede afirmar que la asociación sea causal. Quizás el tipo de padres que deja a niños pequeños muchas horas delante de la tele los trata también de otra manera el resto del día. Quizás lo importante no es el tiempo de ver la tele, sino el tiempo perdido de no hacer otras cosas mejores, como moverse, jugar o hablar con niños o adultos. Podría haber incluso una relación inversa: tal vez los niños ya eran hiperactivos antes de ver la tele, y precisamente sus desesperados padres intentaron ponerles los dibujos para ver si así se estaban un rato quietos.

Una interesante teoría es que la tele (lo mismo que los vídeos, ordenadores y videojuegos) cambia demasiado rápido. Los recién nacidos ven desde el primer día, pero necesitan años de práctica y juego para aprender a comprender lo que están viendo: valorar las distancias, los tamaños, los movimientos. Comprender que un objeto es el mismo aunque parezca distinto visto desde otro ángulo o con otra luz. Por poner un símil seguramente demasiado simplista, el cerebro del niño es como un ordenador que aún no tiene instalados los programas. El programa de reconocimiento visual lo va construyendo cada niño a partir de las repetidas ex-

15. Swing, E. L., Gentile, D. A., Anderson, C. A., Walsh, D. A.; «Television and video game exposure and the development of attention problems». *Pediatrics*, 2010, 126, 214.

http://pediatrics.aappublications.org/content/126/2/214.full.pdf

periencias de los primeros años. Pero la tele y otras pantallas ofrecen unas experiencias visuales totalmente apartadas de lo que es normal ver en la vida real, experiencias que no permiten al cerebro programarse de forma adecuada. ¿Cuál es la escena más movida y agitada que podemos contemplar en la vida real? ¿Un partido de fútbol? Básicamente, es un fondo verde, siempre verde, en el que unas pocas figuras de colores se mueven lentamente. Y la mayor parte de las cosas que un bebé contempla cada día son todavía más estables; el rostro de su madre que sonríe y mueve los labios, un juguete que el mismo niño mueve sobre un fondo estático. Mire, en cambio, la televisión durante un minuto: muchas veces la escena cambia completamente cada pocos segundos, un primer plano de una cara, otro primer plano de otra cara, un plano general de una batalla, una explosión, un coche a toda velocidad, de pronto un anuncio de yogur...

En 2011, reafirmando previas recomendaciones de 1999, la Academia Americana de Pediatría (AAP) recomendó que los niños menores de dos años no vean la tele (ni vídeos, ni ordenadores u otras pantallas).[16] Y aquí enlazamos con el tema de la hiperestimulación. Hay programas de televisión y DVD presuntamente educativos, que se promocionan como especialmente dirigidos a los bebés. Y al respecto, esto es lo que dice la AAP:

El tiempo de juego no estructurado es más valioso para el cerebro en desarrollo que la exposición a cualquier medio electrónico.

Juego no estructurado. Juego en el que el niño puede hacer lo que quiere, como quiere, cuando quiere, sin tener que seguir las

---

16. American Academy of Pediatrics Council on Communications and Media; «Media use by children younger than 2 years». *Pediatrics,* 2011, 128, 1040-1045.

http://pediatrics.aappublications.org/content/128/5/1040.full.pdf

absurdas reglas de los adultos. Porque el juego es demasiado importante en el desarrollo del niño.

Hace décadas se vio que los niños poco estimulados tenían serios retrasos en su desarrollo psicomotor. Ese «poco estimulados» se refería a niños semiabandonados, en orfanatos con poco personal (en los buenos orfanatos, los niños están suficientemente estimulados). Se refería a la ausencia de la estimulación normal, la que cualquier niño recibe cada día. Por desgracia, la idea fue pasando de boca en boca y deformándose, hasta convertirse en algo así como «si estimulas mucho a tu bebé, se convertirá en un genio».

No, lo que necesita el bebé no es una vorágine de luces y sonidos sin sentido que le ponga las neuronas de punta. Necesita calma, y tiempo, y situaciones reales, y cosas que cambian poco a poco, y tiempo para reflexionar sobre ellas, y la presencia de sus padres, que le responden y lo guían y lo ayudan a interpretar el mundo. Y no piense que usted no sabe hacer esas cosas y que necesitará leer un libro o hacer un cursillo sobre estimulación psicomotriz, porque es facilísimo y todo el mundo lo sabe hacer. Lo hicieron nuestros abuelos y lo hicieron los tatarabuelos de nuestros tatarabuelos: al principio solo abrazaban a sus hijos y los mecían y les susurraban y les cantaban, más adelante les mostraban cosas y les sonreían y los animaban, luego les contaban cuentos y les enseñaban dibujos y le ponían subtítulos al mundo. Pero solo un ratito. Sobre todo, estaban allí, y dejaban que el niño siguiera su ritmo.

A ratos el bebé y el niño necesitan que sus padres estén con ellos, a su lado, diciéndole cosas y mirándolo e interaccionando de forma directa, y otras veces lo que necesitan es que les dejen en paz. No que los dejen solos, sino que les dejen en paz. Que los llevemos en brazos en silencio, o que estemos cerca, disponibles, tal vez diciéndoles algo de vez en cuando, pero dejando que exploren el mundo, o que mediten.

Hay ahora como un miedo al vacío, como una necesidad de llenar cada una de las horas del niño. ¡Que no se aburra! ¡Que no pierda el tiempo! Pero aburrirse y perder el tiempo son cosas importantes. Recuerdo haber pasado horas felices de mi infancia viendo resbalar las gotas de lluvia sobre los cristales, o escuchando el sonido del viento en las copas de los árboles. «Ya estás otra vez pensando en las musarañas», decía mi padre, o «estás en Babia», pero por suerte no tenía presupuesto para apuntarme a ninguna actividad. Por cierto, tardé décadas en enterarme de que la musaraña es el mamífero más pequeño y Babia una comarca de León.

Catherine L'Ecuyer, en su libro *Educar en el asombro*,[17] argumenta que no resulta muy lógico pretender «estimular» todo el rato a los bebés y niños pequeños, y luego sorprendernos de que no se estén quietos.

El diagnóstico del TDAH

El diagnóstico del TDAH se basa en una serie de criterios, por ejemplo (también existen otros) los publicados en el año 2000 por la American Psychiatric Association en la cuarta edición de su *Manual diagnóstico y estadístico de las alteraciones mentales (DSM-IV)*. Hay nueve posibles síntomas de inatención, seis síntomas de hiperactividad y tres síntomas de impulsividad. Para ser diagnosticado, un niño debe presentar al menos seis de los síntomas de inatención (TDAH con predominio de inatención), o seis entre hiperactividad e impulsividad (TDAH con predominio hiperactivo-impulsivo), o ambas cosas (TDAH de tipo mixto). Los síntomas han de estar presentes durante al menos seis meses «en un grado inadaptado e inapropiado para el nivel de desarrollo [psicomotor]». Además, alguno de los síntomas debe haber comenzado antes de los siete años, los síntomas tienen que causar problemas

---

17. L'Ecuyer, Catherine, *Educar en el asombro*. Plataforma Editorial, Barcelona, 2012.

en dos o más ambientes (como la casa y la escuela), tiene que haber pruebas claras de incapacidad clínicamente significativa en el funcionamiento social, escolar u ocupacional, y los síntomas no deben ser causados por otras enfermedades mentales.

Mientras escribo este libro (mayo de 2013), ha aparecido la nueva versión, *DSM-5*. Los síntomas del TDAH son los mismos, pero ha cambiado el criterio de la edad de comienzo: ahora solo se exige que hayan comenzado antes de los doce años.

Algunos ejemplos de síntomas:

Inatención:

A menudo no presta mucha atención a los detalles o comete errores por descuido en las tareas escolares, trabajos y otras actividades.

A menudo tiene dificultad para mantener la atención en tareas o juegos.

A menudo se distrae fácilmente con estímulos externos.

Hiperactividad:

A menudo se levanta del asiento en clase y en otras situaciones en que se espera que permanezca sentado.

A menudo habla demasiado.

Impulsividad:

A menudo suelta la respuesta antes de completar la pregunta.

Como puede ver, no es solo una definición arbitraria, sino una larga cadena de arbitrariedades. Como si definiéramos hipertensión como «presión arterial alta» sin dar una cifra. ¿Qué grado se considera «inadecuado» para cada síntoma? ¿Qué es una «dificultad para mantener la atención»? (¿durante cuánto tiempo hay que mantener la atención? ¿En qué asuntos? ¿Tiene déficit de atención un niño que se distrae en clase, pero puede ver una película o un partido de fútbol enteros? ¿Tienen todos los profesores la misma capacidad docente, o hay algunos que saben mantener la atención de sus alumnos mejor que otros?). ¿Qué frecuencia se considera «a menudo»: cada día, varias veces al día, una vez por semana? ¿Cuántas palabras por hora hay que pronunciar para «hablar demasiado»? Todo dependerá de las expectativas del profesional que realiza el diagnóstico; ante un mismo niño, un médico o un maestro puede decir «hiperactivo» y otro puede decir «vivaz» o «impaciente», o incluso «es un niño típico».

El hecho de haber establecido unos criterios diagnósticos numerados y puestos en negro sobre blanco parece dar credibilidad al tema. Pero no es así. Entre «este paciente parece muy pálido» y la medición de la hemoglobina en la sangre hay una diferencia substancial; hemos hecho una prueba objetiva para confirmar o descartar la sospecha de anemia. Pero contestar «sí» o «no» a los dieciocho criterios diagnósticos no constituye una prueba objetiva; simplemente, hemos desglosado la apreciación subjetiva inicial, «este niño parece hiperactivo», en otras dieciocho apreciaciones igual de subjetivas, «este niño parece que se levanta a menudo del asiento», «este niño parece que habla demasiado»...

Algunos investigadores están trabajando en la creación de pruebas de laboratorio que permitirían detectar esos «genes de la hiperactividad»; puede ver la noticia en la web del servicio de información sobre investigación y desarrollo de la Unión Europea (http://cordis.europa.eu/fetch?CALLER=ES_NEWS&ACTION= D&RCN=35503).

Aún no se sabe cómo acabará esta historia. Pero si finalmente se llega a comercializar ese «chip de ADN» para el diagnóstico de la hiperactividad, no estoy muy seguro de que resulte beneficioso. La relación entre los genes y la hiperactividad no puede ser ni mucho menos absoluta. Ni siquiera en otros aspectos puramente orgánicos, como el color del pelo o de la piel, son las cosas tan sencillas como parecían en los fundamentos de genética que estudiábamos en el bachillerato. Y mucho menos en una cuestión de comportamiento, en la que sin duda también influyen la cultura, el entorno, la familia y la escuela. Por lo tanto, habrá niños con hiperactividad a los que la prueba genética les salga normal, y otros aparentemente normales a los que la prueba les salga alterada.

El niño que no está atento en clase, no acaba los deberes, no se está quieto un momento, pero tiene la prueba de ADN normal, ¿no se verá privado de la protección del diagnóstico? Si ya no es hiperactivo, ¿qué es? ¿Un gamberro, un cuentista, un maleducado? ¿No recibirá castigos en vez de ayuda? Y al revés, si un niño de conducta normal tiene «los genes del TDAH», ¿cómo lo tratarán sus padres y profesores? ¿No se acabará cumpliendo fatalmente la profecía, cuando todo el mundo espera que empiece a dar problemas en cualquier momento?

¿Cómo dice? ¿Que nadie le habría hecho la prueba si no tuviera síntomas de hiperactividad? Esperemos que así sea, esperemos que esa prueba de ADN sea solo un método caro y complicado que se use en estudios de investigación. Pero si se llega a comercializar y es barato y sencillo, como la prueba del embarazo, pronto surgirán las propuestas de hacerle la prueba a los hermanos de los niños hiperactivos, y más adelante a los primos y otros parientes, y los mismos laboratorios farmacéuticos que ahora proponen el autodiagnóstico en sus páginas web no dudarán en recomendar también una sencilla prueba de ADN. Incluso si solo se vende con receta los padres podrán presionar a su pediatra para obtenerla, o conseguirla en Internet. Seguro que algún experto hiperentusiasta acaba proponiendo hacer la dichosa prueba a todos los niños al comienzo de la primaria.

Evolución y tratamiento

Otro argumento para considerar a la hiperactividad como una enfermedad son sus consecuencias. Los niños con TDAH sacan malas notas; cuando toman anfetaminas, mejoran; eso demostraría que la enfermedad es real y que el tratamiento es eficaz.

Sí, múltiples estudios encuentran que los niños hiperactivos sacan peores notas. Pero es que por definición son niños que no están atentos en clase y no acaban los deberes, ¡claro que sacan peores notas! Más que una enfermedad, es una petición de principio («vicio del razonamiento que consiste en poner por antecedente lo mismo que se quiere probar»). En Estados Unidos, como hemos visto, uno de cada cinco adolescentes varones ya está diagnosticado. El sistema escolar parece inadecuado para tratar a uno de cada cinco alumnos, pero en vez de modificar el sistema escolar, preferimos tratar con anfetaminas a los chicos.

Y, por otra parte, muchos otros factores disminuyen el rendimiento escolar: la clase social, los barrios conflictivos, las aulas abarrotadas, la falta de ayuda de los padres, los malos profesores... Pero no consideramos que todos esos factores sean «enfermedades».

¿Cómo de eficaz es el tratamiento con anfetaminas? Internet está lleno de padres y de jóvenes que relatan la experiencia de sus hijos o la suya propia, desde los que ven el tratamiento como una pesadilla destructora hasta los que lo ven como un mágico salvavidas. Pero en medicina no debemos conformarnos con experiencias anecdóticas; necesitamos estudios bien hechos. Y el problema es que hay muy pocos.

Uno de los mejores es el estadounidense MTA (Multimodal Treatment Study), realizado durante décadas por seis equipos de investigación independientes en colaboración con el Instituto Nacional de Salud Mental y el Departamento de Educación de los Estados Unidos. En el MTA participaron casi seiscientos niños de siete a nueve años, diagnosticados por especialistas con criterios estrictos. Fueron asignados al azar a cuatro posibles tratamientos:

1. Un tratamiento psicológico consistente en unas sesiones de formación para los padres, un campamento de verano especializado para los niños y la colaboración de un especialista con el maestro durante el curso.

2. Tratamiento farmacológico con metilfenidato, anfetamina o (raramente) otros fármacos, con un estricto protocolo para determinar la dosis más adecuada en cada caso: durante el

primer mes se administraban distintas dosis de metilfenidato o placebo, a doble ciego (sin que médicos, padres y maestros supieran qué estaba tomando el niño en un día dado). Uno de cada nueve niños en este grupo no tomó medicación porque ya mejoró mucho con el placebo.

3. Tratamiento combinado: los dos anteriores juntos.
4. Tratamiento en la comunidad: simplemente, se entregó a los padres un informe, y estos acudieron al médico o psicólogo de su elección. Dos tercios de estos niños también recibieron medicación, sobre todo metilfenidato, aunque en general a dosis algo más bajas.

Los primeros resultados, tras catorce meses de seguimiento, se publicaron en 1999.[18] El artículo comienza diciendo que «el TDAH se da en el 3 a 5 % de los niños de edad escolar» (¡qué tiempos aquellos en que solo estaban afectados menos del 5 % de los niños, y no el 10 o 20 % como ahora! Y no hace ni quince años). En los cuatro grupos hubo notables mejorías. Los niños con tratamiento farmacológico o combinado mejoraron más que los que solo recibieron tratamiento psicológico o en la comunidad. Pero incluso el tratamiento psicológico fue mejor que el tratamiento en la comunidad. A pesar de que la mayoría de estos, recuerde, también tomaron fármacos... lo que viene a decir que un buen tratamiento psicológico es más eficaz que un tratamiento «normal» (el que suelen recibir los niños en la vida real) con fármacos.

El estudio no terminó allí. En 2004,[19] tras veinticuatro meses

---

18. The MTA Cooperative Group; «A 14-month randomized clinical trial of treatment strategies for attention-deficit/hyperactivity disorder». *Arch Gen Psychiatry*, 1999, 56, 1073-1086.
http://archpsyc.jamanetwork.com/article.aspx?articleid=205525
19. The MTA Cooperative Group, «National Institute of Mental Health Multimodal Treatment Study of ADHD follow-up: changes in effectiveness and growth after the end of treatment». *Pediatrics*, 2004, 113, 762-769.

de seguimiento, las ventajas del tratamiento farmacológico se habían reducido a la mitad. Sobre todo en los que habían abandonado el tratamiento. Pero los que habían continuado todo el tiempo con los fármacos mostraban un menor crecimiento en altura. En ese momento (a los veinticuatro meses de tratamiento) se eligió un grupo control de casi trescientos niños comparables (compañeros de clase), pero que no tenían TDAH.

En 2007 se publicaron los resultados tras tres años de seguimiento:[20] no había diferencias entre los cuatro grupos iniciales. En el grupo farmacológico y en el combinado, el número de niños medicados había bajado en este tiempo del 91 al 71 %, mientras que en el grupo con tratamiento psicológico el uso de medicación había aumentado del 14 al 45 %, y en el grupo tratado en la comunidad se había mantenido estable en torno al 60 %.

Por fin en 2009 llega la última entrega[21] (de momento), con el seguimiento a los seis y a los ocho años (es decir, cuando tenían entre trece y quince y cuando tenían entre quince y diecisiete años de edad). No hay diferencias entre los cuatro grupos de tratamiento: ni en las notas escolares, ni en los arrestos por la policía, ni en las hospitalizaciones psiquiátricas. Más de la mitad de los que tomaban medicación la habían abandonado en ese tiempo, pero al ajustar por ese factor tampoco había diferencias entre los grupos (es decir, que el seguir tomando la medicación durante años no daba mejores resultados).

Total, que aunque durante unos pocos meses el tratamiento con anfetaminas pueda parecer efectivo, a la larga el resultado no va-

20. Jensen, P. S., Arnold, L. E., Swanson, J. M., *et al.*; «3-year follow-up of the NIMH MTA study». *J Am Acad Child Adolesc Psychiatry*, 2007, 46, 989-1002.

21. Molina, B. S., Hinshaw, S. P., Swanson, J. M., *et al.*; «The MTA at 8 years: prospective follow-up of children treated for combined-type ADHD in a multisite study». *J Am Acad Child Adolesc Psychiatry*, 2009, 48, 484-500. www.ncbi.nlm.nih.gov/pmc/articles/PMC3063150

ría. Un niño no se pierde gran cosa por no haber tomado el tratamiento. Los autores señalan «la necesidad crucial de desarrollar tratamientos que sean eficaces, accesibles y duraderos». Habrá que desarrollarlos, porque de momento no existen.

Comparando el conjunto de los adolescentes con TDAH (todos sumados, pues no había diferencias entre los cuatro tratamientos) con el grupo control de sus compañeros de clase no hiperactivos, los primeros presentaban peores puntuaciones en casi todos los parámetros. Pero tampoco es una diferencia como de la noche al día. En la escala de gravedad del gamberrismo (escala que va del 1 al 5), 1,62 frente a 1,10. Arrestados por la policía, el 19,8 % frente al 11,6 % (¡en los Estados Unidos el 11 % de los adolescentes «normales» han sido arrestados alguna vez! No salgo de mi asombro). Han repetido algún curso el 37,3 % frente al 17,9 %.

Hiperactividad, fármacos y drogas

Se ha encontrado que entre los adolescentes y jóvenes hiperactivos hay más accidentes, más abuso de drogas, más gamberrismo y actividades delictivas. Pero si eso demuestra la existencia de una enfermedad, entonces el haber nacido en ciertos barrios o en cierta clase social también es una enfermedad. Todo lo más, la hiperactividad sería un factor de riesgo para ciertos problemas, y en modo alguno una «condena».

Veremos con detalle uno de esos estudios, realizado en Estados Unidos por Christine Walther y colaboradores.[22] Compararon a ciento cuarenta y dos adolescentes (trece a dieciocho años) con

---

22. Walther, C. A., Cheong, J., Molina, B. S., Pelham, W. E. Jr., *et al.*; «Substance use and delinquency among adolescents with childhood ADHD: the protective role of parenting». *Psychol Addict Behav,* 2012, 26, 585-598. www.ncbi.nlm.nih.gov/pmc/articles/PMC3355197

TDAH, seguidos desde la infancia, con otros cien adolescentes sin TDAH. Casi todos eran varones. Se entrevistó a hijos y a padres, juntos y por separado, y se midieron las siguientes variables:

- Conocimiento que los padres tienen de sus hijos, pasando a los hijos el cuestionario PACAI, *Conocimiento paterno de las actividades e intereses de los hijos*, con preguntas tales como «¿Saben de verdad quiénes son tus amigos?» o «¿Saben de verdad dónde estás en tu tiempo libre?».
- Consistencia de los padres, con el cuestionario CRPBI *(Inventario de la conducta paterna explicada por los hijos)*, con supuestos como «Mis padres pronto olvidan las reglas que han puesto» o «Mis padres cambian de opinión para que las cosas sean más fáciles para ellos».
- Apoyo de los padres, con el *Inventario de la red de relaciones*, con preguntas como «¿Te da tu madre buenos consejos para manejar tus problemas?» o «¿Puedes confiar en que tu padre estará contigo pase lo que pase?».
- Conflictos entre los padres y el adolescente, mediante el *Cuestionario de conductas conflictivas*, con supuestos como «Mi madre grita mucho» o «Parece que casi nunca estamos de acuerdo».

Y en cuanto a los resultados:

- Abuso de substancias (alcohol, tabaco y marihuana), con preguntas como «¿En los últimos seis meses, cuántas veces te has emborrachado?» o «¿Cuántos cigarrillos has fumado al día durante el último mes?».
- Gamberrismo: esta vez pasando a la madre el *Cuestionario de conducta de los hijos* (CBCL), para averiguar con qué frecuencia había hecho su hijo en los últimos seis meses cosas como decir mentiras, hacer novillos o ir con otros que se meten en problemas.

(Por cierto, el artículo usa la palabra inglesa *delinquency*, que me pareció un poco exagerada, pues para mí un delincuente es el que roba o mata o trafica con drogas, o en definitiva comete un delito. He buscado la palabra en un diccionario inglés, y para mi sorpresa la define como «una falta o fechoría, usualmente menor, especialmente la cometida por una persona joven». Comprendo de repente que «delincuencia juvenil» no es la traducción correcta de *juvenile delinquency*. Es un error de traducción, un «falso amigo». En realidad sería más adecuado hablar de «gamberrismo juvenil», y lo que nosotros llamamos *delincuencia* se dice *crime* en inglés. Comprendo que durante más de cuarenta años, desde que siendo niño oí por primera vez esa expresión, lo estoy considerando un problema más grave de lo que es en realidad, que los sociólogos anglosajones están hablando de chicos que dicen mentiras y faltan a clase mientras aquí estamos pensando en chicos que se pelean a navajazos. El lenguaje influye en las categorías mentales, en nuestra forma de ver y entender el mundo).

Resultados: sí, los adolescentes con TDAH incurrían más en todas las conductas problemáticas. En el consumo de alcohol tenían una puntuación media de 1,84, frente a 1,43 en el grupo control. Es poca diferencia y ambas puntuaciones son bajas, pues la puntuación no parte de cero, sino que podía ir desde 1 (no se emborracha nunca) hasta 9 (más de dos veces por semana). En el tabaco tampoco había grandes problemas ni grandes diferencias, 2,0 frente a 1,39, en una escala que va del 1 (no fuma) al 7 (dos paquetes al día o más). La diferencia era algo mayor en el uso de marihuana, 2,74 frente a 0,67, en una escala que va del 0 (no consume) al 9 (más de dos veces por semana).

En gamberrismo, la diferencia puede parecer mayor si se miran solo las cifras, 3,96 frente a 1,0. Pero la escala de gamberrismo tenía trece posibles gamberradas, cada una de las cuales se podía puntuar con un 0 (no lo ha hecho), un 1 (un poco o algo) o un 2 (bastante o mucho). Los puntos no se promedian, sino que se suman todos. La puntuación individual podía estar, por tanto, entre 0 y 26, de modo que una media de casi 4 es bastante baja.

Vemos de momento que, aunque los chicos con hiperactividad tienen algunos problemas en la adolescencia, no son en general ni problemas muy graves ni muy frecuentes. Ahora imagine que la noticia hubiera aparecido en la prensa, y encima con una traducción poco cuidadosa. ¿Cuál sería el titular? Probablemente, «los niños hiperactivos se convierten en delincuentes juveniles». ¿Cómo se le queda el cuerpo?

Pero no hemos llegado todavía a la parte más importante del estudio, la que relaciona las actitudes de los padres con los resultados de los hijos. El conocimiento de los padres (es decir, básicamente, el que los padres se enteren de dónde están y qué hacen sus hijos) se relacionaba con mejores resultados en todos los campos (especialmente menos alcohol y menos gamberrismo, y también menos tabaco y menos marihuana), tanto en los hiperactivos como en los controles. Y la combinación global de las buenas prácticas parentales (conocimiento, consistencia, apoyo y pocos conflictos) se relacionaba con menos gamberrismo.

Es decir: la hiperactividad facilita que los niños tengan algunos problemas, pero ni mucho menos los condena a sufrir problemas. Y los cuidados de sus padres, ocupándose de ellos, haciéndoles caso, pueden prevenir muchos de esos problemas.

Los medicamentos más usados para el tratamiento del TDAH pertenecen al grupo de las anfetaminas. Sus nombres comerciales son ya famosos: Ritalín (metilfenidato; en España comercializado como Rubifén, Medikinet o Concerta) y Adderall (una mezcla de anfetamina y dextroanfetamina, no comercializado en España).

El metilfenidato disminuye los síntomas del TDAH, y esto sería para algunos otra prueba de que estamos ante una verdadera enfermedad: si se cura, es que estaba enfermo. Pero en realidad, tomar anfetaminas para mejorar en la escuela no es nada nuevo. Cuando yo iba a la universidad, estaba de moda tomar anfetaminas para estudiar en época de exámenes (y los profesores nos decían que era peligroso, y yo no las tomé). Hoy en día las anfetaminas han pasado de moda, en buena medida porque se retiraron del mercado (no eran anfetaminas fabricadas clandestinamente, sino compradas en la farmacia), y algunos estudiantes usan metilfenidato con el mismo propósito. Es un medicamento que aumenta la capacidad de atención y concentración de todo el mundo, no solo de los hiperactivos, y por tanto el hecho de que alguien se concentre más tras tomarlo no prueba que estuviera enfermo.

En España, el Ministerio de Sanidad incluía en 2011 el metilfenidato en su informe sobre las drogas emergentes.[23] En Estados Unidos hace tiempo que ha «emergido», y constituye ya un importante problema de salud pública y una causa importante de adicción.[24]

En un episodio de *Los Simpson*, padres, maestros y médicos presionan a Bart para que tome «Focusín», un nombre falso (para evitar problemas legales, supongo), pero que todo el mundo sabe que en realidad es el Ritalín. Los guionistas aprovechan que en inglés una sola palabra, *drug*, designa a las drogas ilegales y también a cualquier medicamento. Así su madre insiste «di sí a las drogas», la droga maravillosa que convierte al gamberro y payaso de la clase en un alumno ejemplar.

El periodista Alan Schwarz ha dedicado al problema del metilfenidato una serie de artículos en *The New York Times*.[25] Denun-

---

23. Plan nacional sobre drogas; «Informe de la comisión clínica n.º 6: Drogas emergentes». Ministerio de Sanidad, Política Social e Igualdad, Madrid, 2011.
http://www.pnsd.msc.es/Categoria2/publica/pdf/InformeDrogasEmergentes.pdf

24. National Institute on Drug Abuse; «DrugFacts, Medicamentos estimulantes para el trastorno de déficit de atención con hiperactividad (TDAH): el metilfenidato y las anfetaminas».
http://www.drugabuse.gov/sites/default/files/metilfenidato09.pdf

25. Schwarz, A., «In their own words: "Study drugs"». *The New York Times*, 13 de junio de 2012.
http://www.nytimes.com/interactive/2012/06/10/education/stimulants-student-voices.html

cia que algunos de los «pacientes» con TDAH han fingido deliberadamente sus síntomas delante del médico para obtener un diagnóstico y una receta. Quieren la droga para preparar los exámenes, para ser capaces de pasar la noche en vela y terminar los trabajos escolares a tiempo, para sacar mejores notas en secundaria y poder así entrar en una buena universidad. Las pastillas sobrantes son objeto de un activo tráfico. Los pacientes auténticos se quejan de que sus compañeros de clase los persiguen en la temporada de exámenes, suplicándoles unas cuantas pastillas. Uno de los artículos relata con detalle la historia de un joven que fingió su enfermedad para obtener las pastillas, las consiguió fácilmente en consultas de apenas cinco minutos con el psiquiatra, sufrió adicción a las anfetaminas, experimentó graves efectos secundarios (psicosis y paranoia) y finalmente se suicidó.

La UNODC, Oficina de las Naciones Unidas contra la Droga y el Delito, publicó en 2007 un documento sobre la prevención del consumo de anfetaminas.[26] Calculan que treinta y cinco millones de personas usan (ilegalmente) anfetaminas en el mundo, más que cocaína (trece millones) y opiáceos (dieciséis millones) sumados. Los estudiantes usan sobre todo pastillas de Ritalín y Adderall; en la calle y en las discotecas están más extendidos el *speed* (metanfetamina) o el éxtasis (metilendioximetilanfetamina).

Vimos más arriba que en Estados Unidos existen enormes dife-

Schwarz, A., «Attention disorder or not, pills to help in school». *The New York Times*, 9 de octubre de 2012.

http://www.nytimes.com/2012/10/09/health/attention-disorder-or-not-children-prescribed-pills-to-help-in-school.html

Schwarz, A., «Drowned in a stream of prescriptions». *The New York Times*, 2 de febrero de 2013.

www.nytimes.com/2013/02/03/us/concerns-about-adhd-practices-and-amphetamine-addiction.html

26. United Nations Office on Drugs and Crime; *Preventing amphetamine-type stimulant use among young people*. United Nations, Nueva York, 2007.

http://www.unodc.org/pdf/youthnet/ATS.pdf

rencias entre el número de diagnósticos (y tratamientos) de TDAH entre distintos estados. De entrada, me sorprendió una distribución que parecía contraria a la intuición. Uno piensa en la hiperactividad (o, más exactamente, en el diagnóstico de hiperactividad) como algo moderno, ligado al estrés de las grandes ciudades. Pero resulta que la incidencia más baja se da en estados ricos y altamente urbanizados, como California, Nevada (Las Vegas), Colorado (Denver) o Nueva Jersey, mientras que la incidencia más alta se da en estados rurales y relativamente pobres, como Carolina del Norte, Luisiana, Alabama o Misisipi. Otro de los artículos de Schwarz me sugirió una posible explicación para esta paradoja: algunos médicos recetan anfetaminas a sus pacientes más desfavorecidos, tengan o no tengan hiperactividad, en un intento por evitar su fracaso escolar y ofrecerles la posibilidad de cursar estudios superiores. Un pediatra en un pueblo de Atlanta lo explica así: «No tengo muchas opciones. Hemos decidido como sociedad que es demasiado caro modificar el ambiente del chico, así que tenemos que modificar al chico». Y el superintendente de un distrito escolar en California afirma que los diagnósticos de TDAH han aumentado tan rápidamente como bajaba el presupuesto de educación: «[...] podría ser consecuencia de un médico que ve a un niño fracasando en un aula abarrotada con otros cuarenta y dos niños y a sus frustrados padres preguntando qué pueden hacer. El médico dice: "Podría ser TDAH, vamos a hacer una prueba"».

El TDAH predispone al consumo y abuso de drogas ilegales. ¿Porque la hiperactividad lleva al adolescente a «probar cosas nuevas», o porque en una sociedad que exige a los niños estarse quietos el hiperactivo entra en conflicto con sus padres y con la escuela, y eso lo empuja a la marginalidad? No lo sé, aunque tengo sospechas.

Existía la creencia de que el tratamiento con estimulantes (anfetamina o metilfenidato) podía de hecho aumentar el consumo de otras drogas. En 1999, Joseph Biederman y colaboradores, del Hospital General de Massachusetts, anunciaron al mundo con gran alegría que no, que de hecho el tratamiento farmacológico de la hiperactividad disminuye el riesgo de drogadicción.[27] Su estudio no es muy grande: cincuenta y seis chicos tratados con estimulantes (media 17,2 años), diecinueve diagnosticados de TDAH pero no tratados (media 18,5 años), ciento treinta y siete controles sanos (media 19,2 años), todos varones de raza blanca no hispanos, seguidos durante cuatro años y con al menos quince años de edad al terminar el seguimiento. Al final del periodo de seguimiento, el 18 % de los controles sanos, el 25 % de los hiperactivos tratados y el 75 % de los hiperactivos sin tratamiento sufrían abuso o dependencia a al menos una de las cinco drogas consideradas (alcohol, marihuana, alucinógenos, estimulantes o cocaína). Y 16, 34 y 32 % respectivamente sufrían abuso o dependencia del tabaco. Es decir, el tratamiento con anfetaminas disminuye el riesgo de adicción a varias drogas, pero no influye en el riesgo de tabaquismo. Me parecen porcentajes muy altos, incluso en los controles sanos, pues solo mide el abuso o la dependencia (diagnosticados con criterios estrictos, como la intoxicación frecuente, los síntomas de retirada o los intentos fracasados de dejarlo), no el simple consumo, que sería todavía más alto. Uno se pregunta en qué clase de barrio vivían esos chicos (no, el estudio no lo especifica). Nótese también que el uso o dependencia de estimulantes no incluye a las anfetaminas recetadas, pues entonces el 100 % de los chicos en tratamiento estarían por definición tomando drogas. Aunque los autores concluyen que no se sabe lo que ocurre a más largo plazo, o con chicos de otras razas, o con chicas, sus conclusiones fueron ampliamente citadas como prueba de las ventajas del tratamiento.

---

27. Biederman, J., Wilens, T., Mick, E., Spencer, T., Faraone, S. V.; «Pharmacotherapy of attention-deficit/hyperactivity disorder reduces risk for substance use disorder». *Pediatrics*, 1999, 104, e20.
http://pediatrics.aappublications.org/content/104/2/e20.full.pdf

Pero fueron apareciendo nuevos estudios, y la mayoría no confirmaban el trabajo de Biederman. Por ejemplo, Ken Winters y colaboradores, de Minnesota, siguieron a ciento cuarenta y nueve pacientes con TDAH durante quince años.[28] Al final del seguimiento, los jóvenes no medicados presentaban menos dependencia o abuso de alcohol (33 % frente a 50 %), de tabaco (54 % frente a 67 %), y casi igual con la marihuana (24 % frente a 25 %) y otras drogas (6 % frente a 8 %). Como las diferencias no son en ningún caso estadísticamente significativas, tampoco se puede afirmar que la medicación ha aumentado la drogadicción, y los autores concluyen simplemente que «el tratamiento con estimulantes no crea un riesgo significativo de abuso posterior de substancias».

Por fin, en 2008, Biederman y colaboradores publicaron un nuevo estudio[29] sobre los mismos chicos (todos varones blancos) del primer estudio y unos cuantos más (en total ochenta y cinco tratados con estimulantes y veinticinco no tratados), pero esta vez seguidos no durante cuatro, sino durante diez años. Y no encontraron ninguna diferencia significativa, pero la tendencia era hacia un mayor abuso de drogas entre los que habían tomado anfetamínicos. La conclusión es bien modesta: «no hay pruebas de que el tratamiento con estimulantes aumente o disminuya el riesgo posterior de abuso de drogas». Y eso, insisto, sin contar como «drogas» las anfetaminas recetadas.

28. Winters, K. C., Lee, S., Botzet, A., Fahnhorst, T., Realmuto, G. M., August, G. J.; «A prospective examination of the association of stimulant medication history and drug use outcomes among community samples of ADHD youths». *J Child Adolesc Subst Abuse*, 201, 20, 314-329.
http://www.ncbi.nlm.nih.gov/pmc/articles/PMC3348651/

29. Biederman, J., Monuteaux, M. C., Spencer, T., Wilens, T. E., Macpherson, H. A., Faraone, S. V.; «Stimulant therapy and risk for subsequent substance use disorders in male adults with ADHD: a naturalistic controlled 10-year follow-up study». *Am J Psychiatry*, 200, 165, 597-603.
http://ajp.psychiatryonline.org/data/Journals/AJP/3860/08aj0597.PDF

Estamos en una sociedad que le puede quitar la medalla a un atleta profesional por haber tomado una pastilla para correr más, pero que es capaz de administrar a un niño de seis años una pastilla para estar más atento en clase.

Ejercicio físico e hiperactividad

En los últimos años, varios estudios indican que el ejercicio físico puede mejorar los síntomas del TDAH.

Por ejemplo, Pontifex y colaboradores estudiaron a cuarenta niños de ocho a diez años, veinte hiperactivos y veinte controles sanos, que alternativamente tenían que hacer ejercicio físico o bien sentarse y leer un libro durante veinte minutos.[30] Todos los niños, tanto hiperactivos como sanos, mostraron más concentración en una tarea que requería atención después del ejercicio, y también respondieron mejor a un pequeño examen sobre ortografía y matemáticas.

Wigal y colaboradores han revisado los estudios sobre el ejercicio y el TDAH, y han propuesto la hipótesis de que el ejercicio físico actúa sobre los mismos sistemas cerebrales que las anfetaminas[31] (pero en vez de efectos secundarios negativos, los tiene positivos: disminuye la obesidad, el colesterol, la presión arterial...). Explican que en una escuela canadiense tienen cintas de correr para que los alumnos puedan hacer ejercicio durante la clase.

---

30. Pontifex, M. B., Saliba, B. J., Raine, L. B., Picchietti, D. L., Hillman, C. H.; «Exercise improves behavioral, neurocognitive, and scholastic performance in children with attention-deficit/hyperactivity disorder». *J Pediatr*, 2013, 162, 543-551.
   www.sciencedirect.com/science/article/pii/S0022347612009948
31. Wigal, S. B., Emmerson, N., Gehricke, J. G., Galassetti, P.; «Exercise: applications to childhood ADHD». *J Atten Disord*, 2013, 17, 279-290.
   http://jad.sagepub.com/content/17/4/279.long

Aunque los estudios científicos son recientes, los maestros saben desde hace mucho tiempo que el ejercicio mejora la atención de los alumnos. Es por eso por lo que en la escuela se hacen recreos (y tal vez necesitaríamos recreos más frecuentes). Recreos con juego libre, no con ejercicios obligatorios, porque la clase de gimnasia no es lo mismo que el recreo.

Obsérvese que la eficacia del ejercicio desmiente por completo un posible «tratamiento popular» de la hiperactividad. Seguro que más de uno (más de un padre, más de un maestro) ha pensado alguna vez «este niño tiene que aprender a estarse quieto». Pues no, no son las actividades tranquilas y relajadas, como sentarse a leer, las que tranquilizan al niño. Es el otro tratamiento popular, totalmente opuesto, el que resulta vencedor: «este niño lo que necesita es desbravarse y quemar toda esa energía que tiene».

Los niños de ahora disfrutan de mucho menos juego libre. Ya no pasan horas jugando en la calle, a la cuerda, al escondite, a luchar o a correr. Ahora muchos juegos son estáticos, delante de una pantalla, y la actividad física muchas veces está controlada y reglamentada. Hemos convertido el juego en deporte, bajo la supervisión de un adulto, con una fuerte presión para ganar y con reprimendas para el que lo hace mal.

Muchos padres y maestros creen todavía que limitar la actividad física de los niños es una forma adecuada de castigo: «a la silla de pensar, al rincón, a tu cuarto, castigado sin recreo...». Si todos los castigos son contraproducentes, este lo es doblemente. El niño que se «porta mal» en clase es precisamente el que más recreo necesita. Castigándolo sin recreo solo se consigue que en la siguiente clase esté todavía menos atento y menos quieto.

Hiperactivos célebres

Veíamos más arriba que don Santiago Ramón y Cajal, nuestro primer premio Nobel, el más grande científico que ha dado España, fue un niño hiperactivo (o eso deducen muchos que han analizado su biografía). Y desde luego practicó el gamberrismo hasta rozar la delincuencia. Él mismo explica en *Recuerdos de mi vida* cómo a los once años fabricó con sus amigos un cañón de madera:

En aquel verano mis juegos favoritos fueron los guerreros, y muy especialmente las luchas de honda, de flecha y de boxeo. Pronto las encontré sosas e infantiles. Yo acariciaba más altas hazañas: aspiraba al cañón y a la escopeta. Y me propuse fabricarlos fuese como fuese. [...]

Cargose a conciencia la improvisada pieza de artillería, metiendo primero buen puñado de pólvora, embutiendo después recio taco y atiborrando, en fin, el tubo de tachuelas y guijarros. [...]

Un ancho boquete abierto en la puerta nueva, por el cual, airada y amenazadora, asomó poco después la cabeza del hortelano, nos reveló los efectos materiales y morales del disparo, que, según presumirá el lector, no fue repetido aquel día. [...]

Mi travesura tuvo para mí, de todos modos, consecuencias desagradables. [...]

El monterilla [el alcalde], que tenía también noticias de otras algaradas mías, aprovechó la ocasión que se le ofrecía para escarmentarme; y viniendo a mi casa en compañía del alguacil, dio con mis huesos en la cárcel del lugar. Esto ocurrió con beneplácito de mi padre, que vio en mi prisión excelente y enérgico recurso para corregirme; llegó hasta ordenar se me privase de alimento durante toda la duración del encierro. [...]

Así transcurrieron tres o cuatro días. Lo del ayuno, sin embargo, fue pura amenaza; y no porque mi padre se arrepintiese de la dura sentencia fulminada, sino por la conmiseración de cierta buenísima señora conocida nuestra, doña Bernardina de Normante, la cual, de acuerdo sin duda con mi madre, forzó la severa consigna, enviándome, desde el siguiente día del encierro, excelentes guisados y apetitosas frutas. [...]

Se equivoca de medio a medio el paciente lector si presume que el pasado percance me haría aborrecer las armas de fuego; al contrario, sobrexcitó mi inclinación a la balística. Redújose el escarmiento a ser más cauteloso en ulteriores fechorías. Se fabricó otro cañón, que disparamos contra una terrera; pero esta vez, cargada el arma hasta la boca, reventó como un barreno, sembrando el aire de astillas. Éramos incorregibles.

¡Cuántos elementos pedagógicos en esta historia! Sale el castigo y salen las consecuencias, y lo mismo que yo opina don Santiago, que *consecuencias* y *castigo* son términos intercambiables. Y lo que fue un grave atentado, que podría haber matado a alguien si alguien hubiera salido en aquel momento por la puerta en la que se abrió un boquete, no es, en palabras del catedrático, más que una «travesura».

Opina también (y esto lo escribe a los sesenta y cinco años, once después de obtener el Nobel) que el castigo no sirvió para corregir su conducta, sino solo para que aprendiera a hacer sus gamberradas con más disimulo. ¿Y qué decir de esa madre que rompe el castigo impuesto por el padre, y de doña Bernardina, esa «buenísima señora» cuyo nombre aún recuerda tras cinco décadas? No hace ese honor a otros personajes, «el hortelano», «el alcalde», ni siquiera sus compañeros de fechorías parecen tener nombre.

Conozco esta anécdota desde mi infancia. Una historia ilustrada en la revista infantil que publicaban los salesianos. Ni en los *Recuerdos* de don Santiago ni en la historia ilustrada que yo leí se trasluce el menor arrepentimiento ni la menor crítica. La moraleja que extraje de aquella lectura no fue «qué malo era de niño, menos mal que luego se arrepintió, se puso a estudiar e hizo algo útil en la vida», sino más bien «qué listo era, que ya a los once años fue capaz de construir un cañón él solito». Yo mismo intenté fabricar un artefacto explosivo juntando la pólvora de varios petardos. No explotó. Tal vez por eso no he ganado el Nobel.

El mismo Ramón y Cajal ve una relación entre sus gamberradas juveniles y su espíritu investigador:

En el fondo de mi afición a las armas de fuego latía, aparte del ansia de emoción, admiración sincera por la ciencia y curiosidad insaciable por el conocimiento de las fuerzas naturales. La energía misteriosa de la pólvora causábame indefinible sorpresa. Cada estallido de un cohete, cada disparo de un arma de fuego, eran para mí estupendos milagros.

Falto de dinero para comprar pólvora, procuré averiguar cómo se fabricaba. Y, al fin, a fuerza de probaturas, salí con mi empeño.

¿Qué hubiera sido de don Santiago, diagnosticado de TDAH y tratado con metilfenidato? No es un incidente banal, como si le hubieran dado un antibiótico para una infección; estamos hablando de un medicamento que puede cambiar la vida y el destino de una persona, o al menos así nos lo venden: que mejorará en sus estudios, que disminuirá sus probabilidades de caer en la droga o en la delincuencia, de tener un fracaso escolar y más tarde un fracaso laboral... Pero la vida de Ramón y Cajal fue tan productiva y colmada que se hace difícil imaginarla mejor. ¿En qué habría consistido, entonces, el cambio? ¿Habría fabricado menos pólvora, habría corrido menos por los montes, habría leído más libros, habría ido más a misa? ¿Habría podido perder su exceso de actividad, su rechazo a la autoridad y su desprecio por el peligro, sin perder al mismo tiempo la llama sagrada, la capacidad de desafiar las enseñanzas de sus profesores y de buscar por sí mismo nuevas respuestas, la inquietud que le llevó a adentrarse en territorios que ningún hombre había pisado y a ser el primero en ver lo que nadie antes había visto?

Explica don Santiago por lo menudo sus gamberradas en las vacaciones y en la escuela, y es por los datos que él mismo ofrece por lo que otros lo han diagnosticado, un siglo después, como hiperactivo. Pero él no sugiere que la solución sea cambiar a los niños, sino cambiar la escuela. No dice «ojalá se descubra en el futuro un medicamento para que los niños estén más atentos», sino que aboga por un cambio en los programas y en los métodos:

[...] los educandos demasiado jóvenes muéstranse poco propicios, salvo honrosas excepciones, al estudio de las lenguas y de las matemáticas [...] Todo esto llega a interesar, pero más adelante, desde los catorce o quince años. [...] A este error pedagógico sancionado por la ley, añádense todavía los inconvenientes gravísimos de la forma, por lo común seca y excesivamente abstracta, en que se expone la ciencia. Preocupado con el rigor lógico de las definiciones y corolarios, el maestro olvida a menudo una cosa importantísima: excitar la curiosidad de las tiernas inteligencias, ganando a la par para la obra docente el corazón y el intelecto del alumno.

No sé si santa Teresa de Jesús sería hiperactiva, pero también de ella me contaron en la infancia notables gamberradas. He buscado la fuente original. Así lo explica la santa en su *Vida*, escrita a los sesenta años:

Concertábamos irnos a tierra de moros, pidiendo por amor de Dios, para que allá nos descabezasen, y paréceme que nos daba el Señor ánimo en tan tierna edad, si viéramos algún medio, sino que el tener padres nos parecía el mayor embarazo.

Fray Francisco de Santa María, en su obra *Reforma de los Descalzos de Nuestra Señora del Carmen* (1644, sesenta y dos años después de la muerte de la santa) da algunos detalles más:

Con este ardor y deseo, con más esfuerzo y generosidad que su edad permitía, comenzó a tratar luego con su hermano Rodrigo, cómo podrían poner por obra tan virtuosos pensamientos, y acordando entre sí de tomar alguna cosilla para comer, se salieron de casa de su Padre, determinados de ir a tierra de moros, donde les cortasen las cabezas por Cristo. Saliendo por una puerta de la ciudad de Ávila, que llaman de Adaja, que sale al río de este nombre, pasaron la puente. Y prosiguiendo su camino, encontraron con un tío suyo llamado Francisco Álvarez de Cepeda: pregúntales ¿dónde iban? descubrieron sus intentos, y reprendiéndoles sus desaciertos los volvió a casa de sus Padres, que con pena y cuidado los buscaban entendiendo haberse perdido. Riñoles mucho la Madre el atrevimiento, y excusándose

Rodrigo echaba la culpa a Teresa, por haber sido la incitadora, y movedora de la determinación.

Tenía siete años, y su hermano, al parecer, once (en otras versiones, ocho, e incluso creo haber leído en algún sitio que cinco). ¿Qué haríamos hoy en día con una niña que se fuga de casa, arrastrando encima a su hermano? En versiones más modernas de la historia he visto que hablan de castigos, de palizas y de zurras, pero fray Francisco solo dice que su madre los riñó. Y obsérvese cómo empieza a contar la historia: no es inconsciencia o desobediencia lo que mueve a los niños, sino «esfuerzo y generosidad». La misma Teresa habla de su escapada en el capítulo primero de su obra, «En que trata cómo comenzó el Señor a despertar esta alma en su niñez a cosas virtuosas», mientras que el segundo capítulo, en el que no se fuga de casa y no hace nada raro, se titula «Cómo fue perdiendo estas virtudes».

No recuerdo dónde leí o escuché por vez primera esta historia, pero me la debieron de contar con el mismo aprecio que le daban Teresa y fray Francisco, porque la moraleja que extraje no fue «qué mala era de niña, suerte que luego cambió y se convirtió en santa», sino más bien «qué buena era, ya desde pequeñita».

Estas dos historias, de nuestro mayor científico y nuestra más grande santa, me hacen pensar que nuestra sociedad está perdiendo su capacidad para comprender, casi para soportar a los niños. Cosas que hace siglos eran simples travesuras o incluso muestras de precoz virtud, hoy se consideran graves problemas de conducta. Y esa es tal vez la causa principal de la epidemia de hiperactividad que vivimos: los padres y profesores no soportan tan bien como antaño la conducta normal de los niños.

No estoy diciendo que todos los niños diagnosticados de TDAH tienen una conducta normal. Pero algunos sí. No es una cuestión de todo o nada, algo que se tiene o no se tiene. Es una distribución a lo largo de una escala, y el lugar en que se pone el punto de corte, donde se separa a los «hiperactivos» de los «normales», es y siempre será y no puede dejar de ser arbitrario. Incluso si se inventase un aparato capaz de medir la hiperactividad de forma exacta y dar una cifra clara y definitiva (cosa que estamos lejos de tener), el límite seguiría siendo arbitrario.

Estoy seguro de que existen algunos niños que sí tienen un verdadero problema por hiperactividad o por déficit de atención, y necesitan un tratamiento (que no tiene por qué ser siempre farmacológico). Y estoy dispuesto a admitir (cuando lo demuestren con buenos estudios y resultados a largo plazo) que para algunos de esos niños los fármacos pueden ser útiles. Pero tampoco me cabe duda de que existe un sobrediagnóstico. Niños a veces superdotados, que se aburren en clase porque ya entendieron la explicación hace veinte minutos y porque los problemas demasiado sencillos no les suponen ningún reto. Niños con depresión o con otro problema psicológico. Niños con problemas orgánicos, como una sordera que no había sido detectada. Niños sanos y normales, simplemente un poco más movidos que sus compañeros («atolondrados», se decía antes) convertidos en enfermos porque el TDAH es un diagnóstico de moda, porque alguien ha puesto el punto de corte demasiado bajo.

Se ha propuesto un cuestionario para distinguir a los niños superdotados («de altas capacidades») de los hiperactivos:

www.altas-capacidades.org/Cuestionario%20diferenciar%20 TDAH%20y%20AC.pdf

Ya en 1859, en su ensayo *Sobre la libertad*, el filósofo y economista John Stuart Mill advertía contra la tiranía de la sociedad, su tendencia a imponer «sus propias ideas y prácticas y reglas de conducta», una tiranía «más formidable que muchos tipos de opresión política» porque «deja menos vías de escape», y advierte que esta tiranía se dirige especialmente contra la individualidad, con el «ideal de hacer a todo el mundo igual»:

La exigencia de que todos los demás se parezcan a nosotros crece con aquello que la alimenta. Si esperamos a resistirnos hasta que la vida haya sido prácticamente reducida a un tipo uniforme, todas las desviaciones de ese tipo acabarán por ser consideradas impías, inmorales, incluso monstruosas y contrarias a la naturaleza. La humanidad se vuelve rápidamente incapaz de concebir la diversidad cuando ha perdido por algún tiempo la costumbre de verla.

Pienso que esta tendencia de la sociedad de imponer la uniformidad a cualquier precio es especialmente fuerte, de unas décadas a esta parte, en la crianza y educación de los niños. Los padres consultan al pediatra cualquier posible desviación, siempre preguntando: «¿Es normal?». Si en tiempos de Jesucristo los mudos hablaban y los paralíticos caminaban, ahora queremos que hablen los silenciosos y callen los habladores, que «se abran» los tímidos y se tranquilicen los movidos. El que siempre juega con el mismo amigo debería relacionarse con más gente, el que juega con cualquiera debería establecer lazos más fuertes. El que todo lo presta debería ser más cuidadoso con sus cosas, el que todo lo guarda debería aprender a compartir. Queremos que el dormilón se despierte, que el insomne se duerma, que el que grita hable más bajo y el que no grita sea más asertivo. Unos deberían estudiar más, otros deberían jugar más, unos deberían hacer más ejercicio y otros leer más libros. Queremos que todos los niños sean iguales, rigurosamente iguales, y tenemos libros y psicólogos para el que se aparta de «lo normal».

Los «niños índigo»

Entre los que han criticado los excesos en el diagnóstico y en el tratamiento farmacológico de la hiperactividad hay profesionales serios. No deje de leer, si le interesa el tema, el artículo del Dr. Tizón[32] (al

---

32. Tizón, J. L., «El "niño hiperactivo" como síntoma de una situación profesional y social: ¿Mito, realidad, medicalización?». *Psicopatol, Salud Ment.*, 2007, M2, 23-30.

que podrá acceder a partir de la página http://mastiempoconloshijos.blogspot.com.es) o la web italiana www.giulemanidaibambini.org.

Pero también hay críticos poco serios, desde la Iglesia de la cienciología (que está por principio en contra de la psiquiatría) hasta algunas corrientes *new age*.

Parece que la epidemia de hiperactividad ha contribuido a la difusión de la creencia en los «niños índigo». La cosa comenzó en los años setenta, cuando una parapsicóloga norteamericana afirmó en un libro que desde los años sesenta estaba viendo cada vez más niños con un aura de color índigo. Posteriormente surgieron más libros, docenas de libros, e infinidad de páginas web. En ellas, muchos padres a los que habían dicho que sus hijos eran «hiperactivos» encuentran un concepto alternativo que puede resultar más atractivo: su hijo no está «enfermo», sino que es «especial», incluso «superior».

La descripción de un niño «índigo» puede aplicarse a casi cualquier niño. Algunos de sus rasgos, según www.indigochild.com, serían:

- Tienen el sentimiento de que «merecen estar aquí». [¿Qué significa esto? ¿Hay niños que tienen la sensación de que «no merecen» estar aquí?].
- Tienen dificultades con la autoridad absoluta. [¿Y quién no las tiene?].
- Hay cosas que simplemente no hacen; por ejemplo, les cuesta esperar en una cola. [Sí, a los niños pequeños les cuesta estarse quietos mucho rato, ¿no lo sabían?].
- Parecen antisociales excepto con los que son como ellos. [Traducción: hablan y juegan más con sus amigos que con los desconocidos. ¡Anda, igual que los adultos!].
- No responden a una disciplina basada en la culpa. [Casi nadie responde a tal cosa].
- No se cortan a la hora de hacerte saber lo que necesitan. [Piden brazos, piden atención, piden helados, piden juguetes... ¡Qué raro! ¡Nunca se habían visto niños así!].

Esa parece ser la descripción clásica, con un total de diez puntos. Aquí (http://eddycusicanquieddy.galeon.com/cvitae1515508.html) hay otra descripción de más de cincuenta puntos:

- Son muy creativos y les encanta construir cosas. [Todos los niños pintarrajean, recortan o hacen casas con los cojines del sofá. Y a los padres, claro, nos gusta pensar que nuestro hijo es extraordinariamente creativo y los demás no son capaces de pintarrajear tan bien].
- Tienen los sentidos muy activos. [¿Cómo distinguir un sentido muy activo de otro poco activo?].
- Es probable que sean rebeldes en la escuela, rechazando hacer las tareas, cuestionando la autoridad de los maestros. [Aquí es donde claramente enlazan con la hiperactividad].
- Se comunican mucho, sin parar, de diferentes maneras. [Hablar sin parar se considera otro síntoma de hiperactividad].
- Pueden tener problemas con el enojo o rabia. [¿Qué significa esto? Al menos los criterios del TDAH dicen que los síntomas tienen que ser «graves», «frecuentes» o algo por el estilo. Pero aquí no especifica. El enojo y la rabia son intrínsecamente negativos, por lo tanto, cualquiera que los haya tenido, aunque sea una vez en la vida, ha tenido un problema con ellos, nadie ha sido «feliz con el enojo o la rabia»].
- A veces son indiferentes a la política, si sienten que su voz no contará. [¿Niños indiferentes a la política? ¡Lo nunca visto!].
- Tienen profunda empatía con otros, pero son intolerantes frente a lo que consideran una estupidez. [Como no nos gusta creernos antipáticos, a poco que seamos un poco normales nos creeremos muy empáticos. Y claro, todos somos intolerantes con lo que consideramos una estupidez, lo que ocurre es que algunos vemos muchas «estupideces» y otros vemos muy pocas].

Como ve, algunos de los «síntomas» suenan claramente a hiperactividad; otros se aplican a cualquier niño normal. Yo mismo cumplo de sobra con la mayoría de los criterios (pero no puedo ser índigo, porque una vez leí —no recuerdo dónde— cuándo nacieron los primeros, y yo soy más viejo). Según los creyentes, la mayoría de los niños en la actualidad ya son índigo, y no me extraña.

¿Y de dónde vienen los niños índigo? He leído distintas versiones, a cual más absurda: que sus cromosomas son distintos, que sus cromosomas tienen un aura de color índigo visible al microscopio, que los extraterrestres han plantado la semillita entre nosotros para cambiar a la humanidad y llevarla a la perfección...

¿Cómo pueden unos padres pensar que su hijo completamente normal, que pide lo que necesita, se enfada cuando no consigue lo que quiere, a veces pinta, a veces habla mucho y a veces juega, tiene en realidad unas cualidades rarísimas y extraordinarias que lo califican como «índigo»? Pues porque no tienen ni idea de cómo es un niño normal. Algunos padres habían creído esa absurda y reciente visión del niño como un ser sin sentimientos ni necesidades afectivas, que «lo puedes dejar con cualquiera», que obedece, come y duerme y se muestra agradecido si le pones límites (pero, si no, está todo el rato buscando la manera de fastidiar). Al descubrir que los niños en realidad no son así, sino que tienen sentimientos, necesidades afectivas y capacidades morales y sociales, los llaman *índigos*. Da mucha pena (y también un poco de miedo) que algunas personas prefieran creer que sus hijos son mutantes introducidos entre nosotros por los extraterrestres antes que admitir que son seres humanos normales, dotados de libre albedrío, de memoria, inteligencia y voluntad. Y da todavía más miedo ver que algunos psicólogos (o supuestos psicólogos, no les he pedido el título) y educadores dicen creer también en esta tontería.

La adolescencia

Ya hace tiempo que algunas personas me pedían que escribiera un libro sobre la adolescencia. Para guiar, presuntamente, a los padres en la delicada y difícil tarea de educar a un adolescente, o de convivir con un adolescente.

Al principio no quería escribir tal libro porque no tenía aún hijos adolescentes. Prefiero hablar, cuando es posible, con conocimiento de causa.

Y más tarde no me animaba a empezar porque no sabía qué decir. Los adolescentes son tan simpáticos, y criarlos es tan fácil y divertido, ¿de qué podría hablar?

Sí, claro, de vez en cuando tienes discusiones, problemas, dudas..., como siempre, en la convivencia cotidiana entre seres humanos. Pero, en general, los adolescentes están muy lejos de esa aureola de terror con la que a veces se les envuelve.

Y no creo ser el único que se ha dado cuenta. Porque, ahora que lo pienso, aquellos que me pedían un libro sobre adolescentes eran básicamente padres de bebés y niños pequeños, un poco asustados ante la aún lejana adolescencia. Pero no recuerdo que me haya pedido consejo ningún padre o madre de adolescente. Parece que, cuando llega el momento de la verdad, los padres nos damos cuenta de que no era para tanto.

En los países anglosajones, la adolescencia se describe a menudo como una etapa difícil para el adolescente y para sus padres, un periodo de tormenta y estrés *(storm and stress)*, una expresión acuñada por G. Stanley Hall, primer presidente de la Asociación Psicológica Americana, en su libro *Adolescence*, de 1904. Las características típicas de la adolescencia eran, según este autor, el conflicto con los padres, las alteraciones del estado de ánimo y las conductas de riesgo. También opinaba que los niños y preadolescentes eran salvajes con los que no valía la pena razonar, y a los que simplemente había que inculcar a bastonazos el temor de Dios y el amor a la patria (si realmente educó así a su hijo, no me extraña que tuvieran conflictos en la adolescencia). Hall, que había estudiado en Alemania, tomó su expresión del movimiento literario prerromántico de la segunda mitad del siglo xviii, *Sturm und Drang* (tormenta y pasión). El principal autor de ese movimiento es Goethe, y su obra más representativa, *Las tribulaciones del joven Werther* (1774), cuyo atormentado protagonista se suicida por un amor imposible. El libro produjo en su época una oleada de suicidios juveniles (unas fuentes hablan de docenas, otras de miles). A mí me parece un libro bastante pesado con un protagonista bastante tonto, no entiendo por qué se suicida él, y mucho menos por qué se suicidaron algunos de sus lectores (y no creo ser el único que no lo entiende: el libro se sigue publicando y leyendo, pero hace dos siglos que no se suicida nadie por su culpa. Debió de ser la novedad).

Pero el miedo al adolescente es mucho más antiguo. Arnett cita a Sócrates, a Aristóteles, a Rousseau. Este último, al que tantas veces se acusa de un cierto «buenismo», de creer ciegamente en la bondad natural de los niños, habla, en cambio, de la pubertad como *ce moment de crise*, y recurre a la misma metáfora que Hall, la tormenta:

Como el bramido del mar precede de lejos a la tempestad, esta tormentosa revolución se anuncia por el murmullo de las nacientes pasiones; una sorda fermentación avisa del peligro que se acerca. Un cambio de humor, arrebatos frecuentes, una continua agitación del espíritu, hacen al niño casi indisciplinable. Se vuelve sordo a la voz que antes lo hacía dócil; es un león en su fiebre; desconoce a su guía, ya no quiere ser gobernado.[1]

Hall pensaba que la tormenta y el estrés de la adolescencia no eran inevitables, pero constituían una fuerte tendencia con una base biológica. Anna Freud (la hija de Freud) fue más allá, considerando que la tormenta y el estrés eran absolutamente inevitables, más aún, que su ausencia era patológica y predecía graves problemas futuros:

Ser normal durante la adolescencia es anormal en sí mismo [1958; citado por Arnett, 1999].

Pero los estudios más recientes han ido contradiciendo las pesimistas opiniones del pasado. Jeffrey Jensen Arnett, profesor de psicología en la Clark University de Massachusetts, profundizó en 1999 en su artículo «La tormenta y el estrés de la adolescencia, reconsiderados»:[2]

— *El conflicto con los padres*
Algunos estudios norteamericanos han encontrado una media de veinte conflictos al mes entre los adolescentes y sus padres. Pero no estamos hablando de peleas a navajazos, sino habitualmente de discusiones sobre temas relativamente banales, como la hora de volver a casa, la ropa, recoger la habitación y cosas así. En general, padres e hijos coinciden en decir que, a pesar de esas discusiones, se quieren, comparten importantes valores y sus relaciones

---

1. Jean-Jacques Rousseau, *Émile*, libro IV, 1762.
2. Arnett, J. J.; «Adolescent storm and stress, reconsidered». *Am Psychol*, 1999, 54, 317-326.
http://www.jeffreyarnett.com/articles/Arnett_1999_AmPsy

son en general buenas. Arnett sugiere que algunas de esas discusiones sobre los amigos, el aspecto físico o la hora de volver a casa pueden en realidad reflejar otros temas mucho más importantes de los que ni siquiera se atreven a hablar: el sexo (y el embarazo no deseado), las drogas, el sida... Los padres intentan proteger a sus hijos contra peligros graves y reales, pero sin nombrarlos.

— *Las alteraciones emocionales*

Sí, los adolescentes son más propensos que los preadolescentes o los adultos a sentir emociones extremas, sobre todo negativas, como vergüenza, soledad, sentirse ignorado o fuera de lugar. En cambio, tienden a sentirse menos felices que los niños. Parece que hay poca relación entre estos cambios y el estadio de la pubertad (es decir, los cambios físicos, el desarrollo de los caracteres sexuales secundarios), y que la clave es más bien el aumento de su capacidad para el razonamiento abstracto. Vamos, que se van dando cuenta de los problemas.

— *Las conductas de riesgo*

Mientras que los conflictos con los padres y las alteraciones del ánimo son más frecuentes al comienzo de la adolescencia, las conductas de riesgo suelen ser más tardías. En los Estados Unidos, los problemas con la policía alcanzan su máximo a los dieciocho años y luego disminuyen; los accidentes de tráfico llegan al máximo poco antes de los veinte años, la máxima incidencia de las enfermedades de transmisión sexual se da entre los veinte y los veinticuatro.

Sí, los adolescentes y adultos jóvenes parecen tener tendencia a asumir más riesgos. Los criticamos por ello cuando el tipo de riesgo elegido no nos gusta, pero como sociedad nos aprovechamos de ello cuando nos conviene. ¿Qué edades tienen los pilotos de carreras, los alpinistas, los cooperantes en el tercer mundo? ¿A qué edad reclutan los gobiernos a sus soldados?

Algo hay, pues, de la tormenta y el estrés de Hall, pero ni mucho menos el fenómeno universal e inevitable que decía Anna Freud. La tormenta, señala Arnett, tiene escasa base biológica (aunque algo influyen los cambios hormonales), y el principal factor desencadenante parece ser social. En general, los problemas son menores en las sociedades tradicionales que en nuestra cultura occidental. Y también hay diferencias culturales en Occidente: los adolescentes norteamericanos de origen anglosajón tienen más conflictos con sus padres que los de origen mexicano. Los adolescentes norteamericanos de origen asiático tienen más problemas cuantas más generaciones llevan sus familias viviendo en los Estados Unidos.

Arnett solo puede proponer vagas teorías para explicar la causa de estas diferencias. Tal vez la sociedad occidental valora el individualismo y fomenta la independencia de los adolescentes (es decir, queremos que nuestros hijos sean independientes, y luego nos quejamos de que nos han obedecido y se han hecho independientes). O tal vez la mayor escolarización en las sociedades occidentales hace que los niños y adolescentes estén menos en contacto con sus familias.

En 2010, Lilienfeld, Lynn, Ruscio y Beyerstein (profesores de psiquiatría de distintas universidades estadounidenses) incluyeron «la adolescencia es inevitablemente un periodo de trastorno psicológico» como uno de los mitos rebatidos en su libro *50 grandes mitos de la psicología popular*.[3] Insisten en que los problemas, aunque existen, no afectan ni mucho menos a todos los adolescentes, y que en un país altamente industrializado como Japón el 80 o 90 % de los adolescentes opinan que es muy agradable estar en casa y que tienen buenas relaciones con sus padres. Curiosa-

---

3. Lilienfeld, S. O., Lynn, S. J., Ruscio, J., Beyerstein, B. L.; *50 great myths of popular psychology*. Wiley-Blackwell, Oxford, 2010.
http://emilkirkegaard.dk/en/wp-content/uploads/50-Great-Myths-of-Popular-PsychologyTeam-Nanbantmrg.pdf

mente, dan una explicación totalmente distinta: mientras Arnett, como hemos visto, sugiere que el valor que damos en Occidente a la independencia puede fomentar los conflictos entre padres e hijos, ellos citan a Epstein, quien opina que el problema de Occidente es que tratamos a los adolescentes como si aún fueran niños, y por eso se rebelan.

¿Por qué tantas vueltas a si la adolescencia es o no es una tormenta? Psicólogos y sociólogos, especialmente norteamericanos, han realizado concienzudos estudios y han vertido ríos de tinta para intentar aclarar un punto que, francamente, visto desde España, no parece tan importante (imagino que nos parecemos más a los americanos de origen mexicano que a los de origen anglosajón, y por tanto tenemos menos conflictos). Ni como padre ni como pediatra había oído jamás (hasta que empecé a documentarme para este libro) la frasecita esa de la tormenta y el estrés, y la conclusión a la que parecen haber llegado los americanos tras largas polémicas (que algunos adolescentes tienen problemas, pero que en general no es para tanto) me parece muy cercana a la opinión popular que siempre ha habido en España sobre la cuestión.

Pero es que no se trata de una cuestión baladí. Quienes piensen que en la adolescencia nunca hay ni debe haber ningún tipo de conflicto pueden caer en el error de preocuparse o enfadarse ante cualquier suceso sin importancia. Pueden mantener discusiones interminables o absurdas luchas por el poder cada vez que el adolescente da una mala respuesta u olvida recoger su habitación. Ser capaz, ante ciertos problemas menores, de decir «es normal, son cosas de la edad, ya se le pasará» ayuda, sin duda, a evitar conflictos mayores. Enfadarnos con nuestro hijo cada vez que da una mala respuesta o un portazo sería como enfadarnos con nuestro abuelo porque tiene alzhéimer. Con la diferencia de que sabemos que el adolescente irá mejorando con el tiempo.

Pero tampoco conviene caer en el otro extremo. No podemos

aceptar como normal, o incluso deseable, lo que no es en absoluto normal. Si nuestros hijos están deprimidos, o muestran conductas violentas o autodestructivas, o tienen graves problemas escolares, no podemos limitarnos a decir «es normal, ya se le pasará». Debemos ayudarles y buscar apoyo profesional.

Y también está el problema de la profecía autocumplida: si la sociedad espera que los adolescentes sean de una determinada manera, muchos acabarán por ajustarse a esas expectativas. No, no quiero esperar que mis hijos sean violentos, egoístas o maleducados. Prefiero esperar que sean amables, responsables y solidarios.

Lilienfeld y colaboradores citan estudios en Estados Unidos en que se ve la amplitud de este problema. En un hospital, más de la mitad de las enfermeras y residentes de medicina estaban de acuerdo con la frase «la mayor parte de los adolescentes muestran conducta neurótica o antisocial en algún momento de la adolescencia», y más todavía estaban de acuerdo con la frase «médicos y enfermeras deberían preocuparse por la salud mental de aquel adolescente que no causa problemas y no se siente mal». Aparentemente, les parece más preocupante un adolescente sano que uno con síntomas de neurosis. En 2004, Offer desmintió definitivamente esta teoría,[4] tras seguir a setenta y tres adolescentes normales varones de clase media durante treinta y cuatro años: los que tenían menos problemas en la adolescencia seguían teniendo pocos problemas en la vida adulta. Y los que tenían algún problemilla en la adolescencia, habían mejorado (¡sorpresa!, la adolescencia se pasa).

Contamos con un punto importante a nuestro favor para comprender a nuestros hijos adolescentes: nosotros hemos pasado por lo mismo. Y nos tenemos que acordar.

---

4. Offer, D., Offer, M. K., Ostrov, E.; *Regular guys 34 years beyond adolescence*. Plenum Publishers, Nueva York, 2004.

Vale que no nos acordemos de cuando éramos bebés, de cuando pedíamos brazos todo el rato, de cuando tirábamos comida al suelo o mordíamos a los otros niños. Pero con la adolescencia no hay excusas. Se tiene usted que acordar.

Bueno, quizás ese es el problema, que la gente no se acuerda. Offer, como parte del estudio antes citado, pasó un cuestionario a setenta y tres adolescentes varones de catorce años.[5] Cuando tenían cuarenta y ocho años logró localizar y entrevistar a sesenta y siete de ellos. Les volvió a hacer las mismas preguntas (sobre sus relaciones con los padres, con las chicas, los estudios...), insistiendo en que contestasen no lo que pensarían ahora, sino que intentasen recordar lo que dijeron en su adolescencia; cada pregunta iba precedida por «Cuando estaba usted en el instituto...». El resultado fue un auténtico desastre. Para la mayoría de las preguntas, el porcentaje de coincidencias no era mejor que el que se hubiera producido contestando al azar. El 53 % de los adolescentes habían declarado que no era conveniente tener relaciones sexuales hasta el matrimonio, solo el 33 % de los adultos decía haber opinado tal cosa. El porcentaje de los que decían que la religión los ayudaba bajaba del 70 % al 26 %, mientras que los que decían que no les gustaba estudiar o hacer deberes subía del 28 % al 58 %. Era como si los adultos, en vez de recordar al adolescente que realmente fueron, estuvieran pensando más bien en el arquetipo cultural del adolescente, el que transmiten las películas y la televisión: piensan mucho en el sexo, pasan de la religión, no estudian..., «así suelen ser los adolescentes, de modo que yo también debí de ser así».

Tal vez el secreto de la paternidad sea la lucha contra el olvido. Esfuércese por recordar su adolescencia. Recuerde lo que le pro-

---

5. Offer, D., Kaiz, M., Howard, K. I., Bennett, E. S.; «The altering of reported experiences». *J Am Acad Child Adolesc Psychiatry*, 2000, 39, 735-742.

http://www.sciencedirect.com/science/article/pii/S0890856709662432

hibieron y lo que le permitieron, las peleas y los buenos momentos, lo que sentía cuando salía dando un portazo, en qué momentos se sentía incomprendido y en qué momento se sentía valorado, las cosas que hacía a escondidas y sin ningún remordimiento y las cosas que hacía a escondidas porque se avergonzaba profundamente de haberlas hecho.

Si recordamos realmente nuestra infancia y nuestra adolescencia, no podremos seguir creyendo que nuestros hijos nos toman el pelo o que hacen las cosas para fastidiar.

Las drogas

Suele decirse que la marihuana, los porros, son la puerta de entrada por la que el joven llega a otras drogas más peligrosas. Es verdad, pero no toda la verdad. Sí, es difícil que alguien consuma heroína o cocaína si antes no se ha fumado nunca un porro. Pero también es difícil que alguien se fume un porro si antes no ha fumado nunca un cigarrillo o no ha bebido alcohol.

Y también es difícil (no imposible, pero sí más difícil) que los hijos consuman tabaco y alcohol si sus padres no lo hacen. La influencia en estos asuntos de los compañeros y amigos es mayor, ciertamente, que la influencia de los padres. Pero es que también los amigos fumarán menos si sus propios padres no fuman. Nuestras acciones no solo afectan a nuestros hijos, sino también a los hijos de los demás.

En un estudio[6] sobre adolescentes españoles y mexicanos (12 a 16 años), el hecho de que uno de los padres consumiera alcohol y tabaco duplicaba el riesgo de que el hijo hiciese lo mismo.

---

6. Ruiz-Risueño Abad J., Ruiz-Juan, F., Zamarripa Rivera, J. I.; «Alcohol y tabaco en adolescentes españoles y mexicanos y su relación con la actividad físico-deportiva y la familia». *Rev Panam Salud Pública*, 2012, 31, 211-220.

¿Por qué no empieza a dar buen ejemplo? No le pido ninguna heroicidad, no hace falta que se enfrente solo contra la mafia ni que monte patrullas ciudadanas para expulsar del barrio a los camellos. Solo que deje de fumar y de beber (o que al menos restrinja el alcohol al mínimo).

Y mientras intenta dejar de fumar, no olvide tener por la salud de sus hijos el mismo respeto que por la de sus compañeros de trabajo: a fumar, a la calle. No hay excusas. No se puede fumar en casa, ni siquiera mientras los niños están en el cole, porque el alquitrán y otras partículas nocivas se depositan en suelos y muebles e impregnan tapicerías y cortinas, y vuelven al aire al menor movimiento. Si no se fuma en la fábrica, en la tienda ni en la oficina, mucho menos en casa.

Según un estudio norteamericano,[7] incluso cuando los padres fuman, el tener la clara norma de que no está permitido fumar en casa disminuye a menos de la mitad el riesgo de que los hijos fumen.

A menudo los hijos están más concienciados sobre los peligros del tabaco que sus padres o abuelos. En una encuesta en profundidad[8] a setenta y cinco adolescentes canadienses (11 a 19 años), la queja dominante era que «no es justo». Se quejan de tener que ser ellos los que dicen a sus padres que dejen de fumar, y están preocupados por la salud de sus padres y hermanos. Algunos se sienten atrapados, obligados a vivir en una casa o a desplazarse en un coche llenos de humo. Una chica de dieciséis años explica:

---

7. Clark, P. I., Schooley, M. W., Pierce, B., Schulman, J., Hartman, A. M., Schmitt, C. L.; «Impact of home smoking rules on smoking patterns among adolescents and young adults». *Prev Chronic Dis*, abril de 2006.
http://www.cdc.gov/pcd/issues/2006/apr/pdf/05_0028.pdf
8. Woodgate, R. L., Kreklewetz, C. M.; «Youth's narratives about family members smoking: parenting the parent- it's not fair!». *BMC Public Health*, 2012, 12, 965.
http://www.biomedcentral.com/1471-2458/12/965

«Siempre les estoy diciendo cosas para que se sientan culpables, siempre estoy en plan "¿quieres conocer a mis hijos, quieres ser mi padrino de boda?"». Un chico de dieciocho se lamenta: «Bueno, mis padres pues se ponen a fumar y si les digo que no lo hagan, no les da la gana escuchar porque se ponen en plan "¡nosotros somos tus padres, tú no eres nuestro padre!"».

He aquí un punto que tampoco suele mencionarse al hablar de adolescentes: que a veces son más responsables que sus padres.

| La alimentación

Los bebés habitualmente se lo llevan todo a la boca. ¿Por qué no la comida? Cuando oigo a una madre decir que su hijo «es ver la cuchara, y se pone a llorar», un niño que chupa los dedos propios y los de todos sus familiares, el mando de la tele, las llaves del coche, la pelusilla de la ropa y la tierra de las macetas, y al que más de una vez han tenido que sacar de la boca un pedazo de papel medio reblandecido, siempre me pregunto: «¿qué experiencias habrá vivido este niño con la dichosa cuchara, para que sea lo único en el mundo que no se quiere llevar a la boca?».

Así que, aunque algunos tardan unos meses en decidirse, los bebés suelen comer de todo (aunque en pequeñas cantidades).

Luego, hacia el año, suelen empezar a comer en cantidades aún más pequeñas, y poco después empiezan a mostrarse más selectivos con la comida, esto no me gusta, esto no lo quiero («—Pero si siempre te ha gustado el pescado. —¡No, el pescado no me gusta! —Pues si siempre comías pescado. —¡Nunca he comido pescado!», y de ahí no lo sacan ni con pruebas documentales). Así es como hacia los dos años los niños llegan al «menú infantil», típicamente macarrones (o espaguetis, o arroz con tomate) y pollo (o carne, probablemente rebozada) con patatas, con algunas pequeñas variaciones (y normalmente con alguna especialidad de la casa, para que los padres puedan sacar pecho: «pues la mía come caracoles», «pues al mío le encanta el pepino»). Si su hija de ocho años le pide permiso para invitar a una amiga a comer mañana en casa, ¿preparará usted acelgas y merluza, o macarrones y pollo? A nadie le sorprende que los otros niños coman menú infantil, pero a algunos padres les extraña o les preocupa que lo haga su propio hijo. Al menos al principio, porque luego se acaban acostumbrando.

No digo que los niños tengan que comer macarrones y pollo todos los días. No digo que nunca prueben la ensalada o los garbanzos. Los padres tienen el derecho (y el deber) de preparar una dieta saludable. Pero los hijos tienen el derecho de comer unos días más y otros menos, y de quejarse.

Cuando los padres se ponen muy pesados insistiendo para que el niño «coma de todo» o «se acabe la verdurita», cuando cada comida llega a convertirse en una batalla, es posible que lleguen a aborrecer algunos alimentos para siempre. Si respetamos a los niños, aunque solo sea parcialmente (porque ¿qué padre no se ha puesto nunca un poco pesado con la comida?), al cabo de los años irán abandonando el menú infantil y empezarán a comer otras cosas. Muchos adultos jóvenes, de hecho, entran sin temor en restaurantes libaneses, indios o japoneses y comen sin quejarse cosas rarísimas. Y algunos padres piensan erróneamente que ha sido su insistencia lo que ha acabado «enseñando al niño a comer», cuando en realidad ha sido solo obra del tiempo, que (casi) todo lo cura.

Haga memoria, ¿acaso no come usted voluntariamente y hasta con cierta frecuencia cosas que de niño rechazaba? ¿Cosas que sus padres le intentaron obligar a comer? ¿Cosas que ahora intenta usted obligar a comer a su hijo, con el mismo éxito? ¿Y no recuerda, en su infancia, haber pensado «cuando yo tenga hijos, no los obligaré a comer esta porquería»? ¡Por favor, qué bajo llegamos a caer!

En algún momento de nuestra lejana infancia todos hemos pensado: «Cuando sea mayor y tenga mi propia casa, no comeré más que helados y pasteles todo el día». ¿Lo ha hecho usted? ¿Durante cuánto tiempo? Cuando se independizó, cuando se casó o cuando fue a vivir a un piso de estudiantes, ¿cuántos meses pasó usted viviendo de pasteles y helados hasta que se hartó y empezó a comer normal? Ni un mes, ni una semana, ni un día. Desde el primer momento intentó usted comer más o menos sano, el primer día que hizo la compra ya escogió alguna fruta o alguna verdura. Y su hijo también lo hará, si le da la oportunidad (es decir, si usted come comida sana y no insiste hasta hacérsela aborrecer).

Decía que los padres suelen acabar acostumbrándose a que los hijos «no coman». A los ocho meses me preguntan preocupadísimos cómo hacer para que se coma la verdura; a los ocho años (cuando suelen comer aún menos verdura) no me pregunta casi nadie. A los quince años, cuando muchos adolescentes abusan de refritos, patatas de bolsa y refrescos azucarados, nadie me ha preguntado jamás cómo mejorar la alimentación de sus hijos. Supongo que los dejan por imposibles.

Pues como nadie me pregunta, se lo digo yo: creo que no es bueno que nos vayamos de un extremo al otro. En el bebé y niño pequeño, una obsesión enfermiza por controlar exactamente cuántos gramos de cada alimento a cada hora del día («los lunes y los jueves, 50 g de pechuga de pollo hervida o a la plancha...»); en los niños mayores y adolescentes, dietas que a veces dejan bastante que desear, y una grave epidemia de obesidad y de sus consecuencias, diabetes, hipertensión colesterol...

Y no, el problema no es que coman solo macarrones. Ojalá comieran solo macarrones: trigo con tomate (que es verdura), un poco de carne, un poco de aceite de oliva, sin azúcar... Se podrían comer macarrones cada día. Y el problema tampoco son los tan temidos (por algunos) colorantes y conservantes. El problema son las patatitas de bolsa, los aperitivos crujientes que regalan cromos y muñequitos, los refrescos, algunos platos precocinados que se parecen bastante a las comidas caseras pero que llevan mucha más sal y mucha más grasa.

El sobrecito de azúcar que nos dan en la cafetería suele tener seis gramos. Una lata de «bebida refrescante» suele contener seis de esos sobres. ¿Cómo podemos ponernos sacarina en el café y luego tomarnos o darles a nuestros hijos uno de esos refrescos? Hay familias que cada día consumen una botella de dos litros de refresco, eso son más de 200 g de azúcar; de lunes a viernes se han tomado un kilo entero.

Muchas veces es precisamente esa obsesión con la comida de los más pequeños lo que conduce a una mala alimentación en la adolescencia, por al menos dos vías:

1. Los padres siempre insisten más en la comida que les parece más sana. Siempre es «acábate las verduritas», «no digas que no te gusta el pescado si no lo has probado». Nunca «hay que acabarse» las patatas fritas, nunca «hay que probar» el pastel. El resultado es que los niños acaban aborreciendo precisamente la comida más sana.
2. Muchos padres están dispuestos a darle a su hijo cualquier cosa con tal de que coma. «Se ha comido una bolsa de "gusanitos", pero al menos no se ha ido a la cama con la barriga vacía». Pues más vale una barriga sola que mal acompañada.

Además, nuestra cultura clasifica los alimentos en categorías. Unos son «normales», para comer a diario; otros son «especiales», aptos para fiestas o para cuando tenemos invitados. Y habitualmente la comida festiva es peor: más grasa, más sal, más azúcar. En las fiestas substituimos el agua por bebidas alcohólicas o azucaradas, la fruta por pasteles... Sin darnos cuenta, vamos enseñando a nuestros hijos que los alimentos insanos son «mejores». Probablemente esa clasificación de los alimentos no tenía muy graves consecuencias cuando los alimentos «de lujo» eran muy caros y solo los muy ricos se los podían permitir. Pero, con la mejora del nivel de vida, esos alimentos que solo se consumían por Navidad pasaron primero a los domingos, y en algunas familias llegaron a consumirse a diario.

La clasificación de los alimentos en «normales» o «especiales» depende en gran medida de la cultura. Hace muchos años asistí a una reunión en Praga. Nos alojábamos en uno de los mejores hoteles de la ciudad (temporada baja, por suerte). Cada día, para comer y para cenar, el postre era pastel. No un pastelillo cualquiera, no; una generosa porción de pastel de cumpleaños, al que solo le faltaban las velitas. Y en el desayuno, por supuesto, también había tarta de cumpleaños a destajo. El último día del congreso nos anunciaron «esta noche habrá una fiesta». Estaba intrigado: si comen pastel tres veces al día, ¿qué será lo que comen en las fiestas? Vamos al lujoso salón, amenizado con música en directo, charlamos animadamente, y al cabo de un rato entran dos o tres camareros... ¡con bandejas de fruta! Manzanas, naranjas y plátanos. Y no muy abundantes. Los plátanos, de hecho, venían ya cortados por la mitad, con piel y todo, para que nadie creyese que tenía derecho a un plátano entero.

Comprendí de pronto que en aquel país abundaban el trigo y la nata, y por tanto los pasteles eran baratos. Pero la fruta había que importarla, tal vez de Italia o de España, y era un producto de lujo.

Tal vez podamos enseñar a nuestros hijos que las fiestas y las reuniones familiares también pueden celebrarse con alimentos sanos, que se pueden comer lentejas y se puede beber agua. Claro que, para poder enseñarles tal cosa, primero deberíamos aprenderla nosotros.

Porque no hace falta ninguna técnica especial para enseñar a nuestros hijos a comer sano. No se trata de «cómo conseguir que prueben la verdura». Coma verdura usted, y deje de darle la lata al niño. Si en casa solo hay comida sana, los niños solo comerán comida sana. Unas les gustarán más que otras, por supuesto. Si no quieren el plato de hoy, no insista, no prometa, no amenace, no ofrezca alternativas («¿no te gustan los garbanzos, quieres un yogur?»). No estoy diciendo que no le dé yogur, solo digo que no se lo ofrezca. Si el niño pide espontáneamente un yogur (o un plátano, o un bocadillo...), por supuesto se lo da. Pero si no quiere garbanzos, y no pide otra cosa, simplemente es que no tiene hambre. Respételo. «Una cucharadita más» es el comienzo del camino hacia la obesidad infantil.

Por supuesto, a los diez años sus hijos tendrán algún dinero y tal vez se compren chuches. Irán a casa de sus amigos y tomarán refrescos azucarados. Y algún día se irán de casa y comerán lo que les dé la gana. No puede ni debe controlar toda la vida de su hijo. Solo ofrecerle un buen ejemplo durante los primeros años, y luego ya seguirá solo.

No voy a entrar en detalles sobre lo que es una dieta sana. Hay muchos libros sobre alimentación (pero, ojo, hay muchos libros malos sobre alimentación, libros con la última dieta de moda, a cual más ridícula). Yo le recomiendo los de Julio Basulto,[1] pero seguro que hay otros libros serios sobre nutrición. Y, si lee inglés, no deje de consultar la web sobre nutrición de Harvard, http://www.hsph.harvard.edu/nutritionsource. Le traduzco sus recomendaciones:

- Verduras: cuantas más verduras (y más variadas), mejor. Las patatas y las patatas fritas no cuentan.
- Cereales integrales: consuma una variedad de cereales integrales (como pan integral, pasta integral y arroz integral). Limite los cereales refinados (como el arroz blanco y el pan blanco).
- Proteínas sanas: consuma pescado, aves, legumbres y frutos secos; limite la carne roja y el queso; evite el beicon, los fiambres y los embutidos.
- Fruta: coma abundantes frutas de todos los colores.
- Agua: beba agua, té o café (con poco o nada de azúcar). Limite la leche y productos lácteos (una o dos porciones al día) y los zumos (un vaso pequeño al día). Evite las bebidas azucaradas.

---

1. Basulto, J., Mateo, M. J.; *Secretos de la gente sana*. Debolsillo, Barcelona, 2012.
Basulto, J., *Se me hace bola*. Debolsillo, Barcelona, 2013.

- Aceites sanos: utilice aceites sanos (como el de oliva o la canola [no creo que encuentre canola en España]) para cocinar o aliñar y en la mesa. Limite la mantequilla. Evite las grasas *trans*.
- Haga ejercicio físico.

Comer en familia

Mucho se ha investigado sobre la influencia de las comidas en familia sobre la salud física y mental y sobre la conducta de nuestros hijos.

Hammons y Fiese revisaron diecisiete estudios que incluían en total a más de ciento ochenta mil niños y adolescentes.[2] Concluyeron que aquellos niños que comían en familia con más frecuencia tenían un menor riesgo de sufrir obesidad, de comer alimentos insanos (como refrescos, chuches y fritos) y de incurrir en alteraciones de la alimentación (como tomar laxantes, inducirse el vómito, hacer dietas extremas, tomar pastillas para adelgazar, fumar para adelgazar y otros disparates). En cambio, aumentaba la probabilidad de comer alimentos sanos (como frutas y verduras). Obsérvese que «no comer en familia» incluye el comer en el comedor escolar o en un restaurante, pero también el comer en casa, pero no acompañado por el resto de la familia.

A quien esté familiarizado con el menú de muchos comedores escolares (supongo que habrá escuelas de lujo donde la base de la dieta no sean los congelados fritos), no le sorprenderá que favorezcan la obesidad infantil.

Por su parte, Skeer y Ballard analizaron dieciocho estudios so-

---

2. Hammons, A. J., Fiese, B. H.; «Is frequency of shared family meals related to the nutritional health of children and adolescents?», *Pediatrics,* 2011, 127, e1565-1574.
http://pediatrics.aappublications.org/content/127/6/e1565.full.pdf

bre posibles efectos no nutricionales.[3] Los adolescentes que comían frecuentemente en familia (y aquí lo importante se supone que no es la dieta, sino el hecho de reunirse con los padres y charlar durante la comida) consumían menos alcohol y tabaco, mostraban menos conductas agresivas y violentas, sacaban mejores notas y tenían menos actividad sexual y menos problemas mentales (depresión, ideas suicidas, estrés, conducta antisocial...).

¿Que no le queda más remedio que dejar a su hijo a comer en la escuela? Bueno, todavía le quedan las cenas, y tal vez los desayunos. Y al tiempo que intenta, a través del consejo escolar, mejorar la calidad del menú escolar, puede buscar otros momentos en el día para charlar con sus hijos.

Lo que da rabia es que todavía haya gente intentando convencer contra toda evidencia a los padres de que el comedor escolar es lo mejor porque allí los niños aprenden buenos hábitos nutricionales y se socializan.

---

3. Skeer, M. R., Ballard, E. L.; «Are family meals as good for youth as we think they are? A review of the literature on family meals as they pertain to adolescent risk prevention». *J Youth Adolesc*, 2013, 42, 943-963.
http://link.springer.com/content/pdf/10.1007%2Fs10964-013-9963-z.pdf

Juntos hemos crecido

Juntos crecemos, padres e hijos. La calidad (y la calidez) de la relación entre padres e hijos durante la adolescencia depende, en gran medida, de la calidad de la relación previa. No hay, por supuesto, una garantía. A veces, las cosas se tuercen, y a veces salen bien por pura casualidad. Pero, en líneas generales, se recoge lo que se ha sembrado.

¿Queremos que el adolescente sea capaz de confiar en sus padres, de pedir ayuda o consejo ante situaciones difíciles? Pues debemos enseñarle desde pequeño que puede confiar, que cuando nos pida ayuda acudiremos. Aunque sean las dos de la madrugada.

¿Queremos que el adolescente sea capaz de tomar sus propias decisiones, de no plegarse automáticamente a la presión del grupo, de plantarse y decir «no» (al alcohol y otras drogas, a la conducción temeraria, a participar en actos vandálicos, a los abusos sexuales...)? Pues tendrá que practicar desde pequeño, diciendo de vez en cuando «no» a sus padres. Difícilmente podrá tener ideas propias el que ha sido educado en la obediencia absoluta.

¿Queremos que trate a la gente con respeto, que no recurra al insulto o a la violencia en su trato con los demás? Pues tratémoslo con respeto desde el primer momento, mostrémosle con el ejemplo cómo se piden las cosas sin insultos y sin violencia.

¿Queremos que tenga valores fuertemente interiorizados, que sea capaz de hacer lo correcto aunque nadie lo vigile, aunque no espere ningún premio ni tema ningún castigo? Pues démosle desde la infancia la posibilidad de hacer las cosas sin premios ni castigos.

El estudio *Children in the Community* comenzó en 1975, con seiscientas sesenta y nueve familias con niños de uno a diez años, de todas las razas y clases sociales, elegidos al azar entre los residentes en pequeñas poblaciones del estado de Nueva York. Se entrevistaba detalladamente a las madres y a los hijos al comienzo del estudio, y de nuevo a los trece, dieciséis y veintidós años de edad. A comienzos del siglo XXI fue posible localizar a seiscientos cincuenta y ocho de aquellos niños, con una edad media de treinta y tres años.[1]

A los dieciséis años se evaluó, mediante cuestionarios a las madres y los niños, el grado en que ambos padres mostraban doce determinadas conductas positivas. A los veintidós y treinta y tres años, mediante diversos cuestionarios, se valoró la resiliencia de los hijos (considerada como la combinación de cuatro rasgos: optimismo y confianza, comprensión y afecto, actividad productiva y capacidad de expresión), y la presencia de rasgos de personalidad inadaptados (esquizoide, paranoide, histriónico...).

Para cada una de las doce conductas analizadas, cuando los padres tenían una nota alta (en el tercio superior de las puntuaciones), los hijos tenían más resiliencia y menos problemas de personalidad que cuando tenían una nota baja (en el tercio inferior). La resiliencia llegaba a ser cinco veces más alta, mientras que los problemas de personalidad se reducían a menos de la mitad.

La buena noticia es que esas cosas positivas que hacían los padres no eran difíciles. No eran complejas «técnicas», no las habían

---

1. Johnson, J. G., Liu, L., Cohen, P.; «Parenting behaviours associated with the development of adaptive and maladaptive offspring personality traits». *Can J Psychiatry,* 2011, 56, 447-456.
http://publications.cpa-apc.org/media.php?mid=1201

leído en un libro, no necesitaban ir a un «taller» para aprender a ser padres, y entre el 40 y el 50 % de los padres y madres estaban en el tercio más alto de las puntuaciones. Está a nuestro alcance. No se menciona lo de «imponer disciplina», lo de «marcar límites», lo de «transmitir valores» ni la dichosa silla de pensar. Estas son las doce conductas maternas y paternas que se asociaban con el correcto desarrollo de la personalidad de los hijos:

Alabar y animar al niño.

Pasar mucho tiempo con él.

Mostrarle mucho afecto.

No recurrir mucho al castigo.

Hablarle con amabilidad.

Fomentar la autonomía de los hijos.

Mantener la calma.

Buena comunicación con el niño.

Actitud positiva hacia el niño.

Atención y dedicación al niño.

Compartir actividades agradables.

Ser admirados como modelo de conducta.

Seguro que usted ya pone en práctica la mayor parte de estas conductas. Y si no, ¿a qué espera para empezar?

ÍNDICE TEMÁTICO